Zebedeus en het Zeegezicht

Voor Stije

Van Henk Hardeman verscheen eerder:
Het zwarte vuur
De prinses van Ploenk
De bastaard van de Hertog
Het Rijtjespaleis

Voor meer informatie:
www.uitgeverijholland.nl

HENK HARDEMAN

Zebedeus en het Zeegezicht

met tekeningen van
Saskia Halfmouw

Uitgeverij Holland – Haarlem

STICHTING NEDERLANDSE
KINDERJURY
2005

INHOUD

I

Oom Balthasar

Het was een warme zomerdag, we hadden vakantie en ik logeerde bij mijn neef Bertus. Omdat zijn spelcomputer kapot was, gingen we schatgraven in de tuin van mijn oom en tante; Bertus met de grote schep van zijn vader en ik met een speelgoedschepje van roze plastic. De kuil in het grasveld was inmiddels al behoorlijk diep en onze kleren plakten van het zweet, maar we hadden nog steeds niks gevonden.

Na een tijdje strekte Bertus zijn slungelige lijf. 'Wat voor schat is het eigenlijk?' wilde hij weten.

'Een piratenschat natuurlijk,' antwoordde ik.

'Maar d'r is helemaal geen zee in de buurt.'

'Nou en?'

'Nou...' zei Bertus langzaam. 'Als er geen zee in de buurt is, hoe hebben die piraten die schat dan hiernaartoe gebracht?'

'Vroeger was hier wel een zee,' zei ik kortaf.

Bertus dacht hier even over na. 'O,' zei hij toen. 'Zou je denken? Maar...' Hij zweeg en hield een hand achter zijn oor.

'Wat is er?'

'Sst! Ik hoor wat. Geruis.'

'Geruis?' Ik spitste mijn oren, maar hoorde niets. 'Wat voor geruis?'

Mijn neef luisterde nog een tijdje aandachtig. 'Als van water dat tegen de rotsen slaat,' zei hij toen.

'Ha ha. Leuk hoor.'

'Ik maak geen grapje.' Bertus klonk verontwaardigd. 'Het is echt waar.'

'Water dat tegen de rotsen slaat? Er is hier helemaal geen water, joh! En er zijn nergens rotsen. We zitten midden in de stad! Misschien zit er een prop smeer in je oren.'

Bertus schudde beslist het hoofd. 'Nee, die zijn vorige week nog uitgespoten.' Hij stak een vinger op. 'Luister...'

Nu hoorde ik het ook. Geklots van water, ergens in de verte. Alsof woeste golven tegen rotsen beukten en dan weer terugrolden de zee in, om even later opnieuw een uitval te doen.

'Maar hoe kan dat nou? Er is zelfs geen zwembad in de buurt...' Toen schoot me iets te binnen. 'Iemand heeft ergens een televisie aangezet, daar komt het geluid natuurlijk vandaan. Want anders...'

'Anders wát?' vroeg Bertus, die plotseling erg wit zag.

'Anders spookt het,' zei ik met een lage stem. 'Het is vast Manke Tinus, de piratenkapitein, die na eeuwen terugkomt om zijn schat op te halen. Hij vaart over de zeven zeeën met zijn spookschip, waarop een zwarte vlag met een doodskop wappert. Hij gooit hier het anker uit, en met de schatkaart in zijn ene hand - want op de plaats van z'n andere zit een puntige haak - sluipt hij deze kant op. En dan...'

Achter ons zei een krakerige stem: 'Ik zou maar oppassen. Wie een kuil graaft voor een ander, valt er doorgaans zelf in...'

Geschrokken draaiden wij ons om.

Bij het tuinhekje stond een oude, kromgebogen man met een verweerd gezicht. Hij steunde op een knoestige boomtak en droeg een rafelige winterjas, een broek vol gaten en laarzen die zo versleten waren dat zijn tenen uit de neuzen piepten. Boven op een wilde bos grijs haar rustte een breedgerande hoed. Op zijn rug was met grof touw een pak vastgebonden, dat een meter breed was en zo'n anderhalve meter lang. Het was plat en gewikkeld in lichtbruin pakpapier. 'Een goedemorgen, jongelui.'

'D-dag meneer,' hakkelde Bertus. 'We waren geen kuil aan het graven, hoor. Echt niet!'

'Als dat de kleine Melchior niet is...' mompelde de man met een scheve grijns. 'Wat ben je gegroeid, jongen. De laatste keer dat ik je zag, reikte je niet verder dan mijn knie!'

'Ik ben Melchior niet, meneer. Ik heet Bertus. En dat is Zebedeeeejus,' zei hij met een blik op mij. 'M'n neef.' Hij sprak mijn naam expres overdreven uit, omdat iedereen die het las, altijd dacht dat Zebedeus rijmde op neus. 'Melchior is mijn vader.' Bertus knikte naar het huis.

'Je váder?' De vreemdeling leek te schrikken. 'Donder en bliksem, dan ben ik nog veel langer weg geweest dan ik dacht!'

'Wat bedoelt u?' vroeg ik.

'Gaat je niks aan.' De man zwaaide met zijn stok naar het huis. 'Haal als de wiedeweerga Melchior, ik móét hem spreken.'

'Pa!' Bertus rende naar het huis toe en botste tegen zijn vader op, die net kwam kijken wat er aan de hand was.

Oom Melchior zag het gapende gat. 'Wat hebben jullie met mijn

prachtige gazon gedaan?!' Hij wilde nog meer zeggen, maar zweeg toen hij de oude man zag. Hij duwde zijn bril terug op zijn neus en knipperde met zijn ogen tegen de felle zon. 'Ken ik u niet ergens van?'

'Zou heel goed kunnen,' zei de man, terwijl hij het touw losmaakte en het pak behoedzaam voor zich op de grond neerzette. 'Ik ben Balthasar, de oudste broer van je vader.'

'Oom Balthasar?' Oom Melchior hapte naar adem. 'Maar d-die heb ik nooit gezien, ik was nog niet eens geboren toen hij verdween. Jaren en jaren geleden. Van de ene dag op de andere. Zomaar. Spoorloos. Iedereen dacht dat hij... d-dat u... dood was!'

'Nou, dat ben ik dus niet,' zei oom Balthasar droogjes.

'Maar hoe... waarom... wat...'

Oom Balthasar wuifde vermoeid alle vragen weg. 'Later, jongen, later. Heb je wat te eten en te drinken voor me? Ik verga van honger en dorst. En dan een lekker zacht bed...'

'Natuurlijk, komt u maar mee. U bent van harte welkom.' Oom Melchior strekte zijn hand uit naar het pak. 'Zal ik dat voor u dragen?'

Oom Balthasar gaf een venijnige pets op zijn vingers. 'Afblijve!'

'Auw! Neemt u me niet kwalijk,' zei Bertus' vader gekwetst. 'Ik wilde alleen maar helpen, hoor.'

Bertus en ik grijnsden naar elkaar.

Onderweg naar de keukendeur kwamen we langs de waslijn van mijn tante. Hij liep over de hele breedte van de tuin en er wapperden oogverblindend witte lakens aan. Oom Balthasar bleef even staan, kneep in het stevige plastic koord, gromde goedkeurend en ging toen weer verder.

Tante Martha was niet blij met het bezoek. Van haar mocht oom Balthasar niet verder komen dan de keuken. 'Hij stinkt een uur in de wind!' siste ze tegen haar man. 'Die viezerik heeft zich in geen jaren gewassen.'

'Maar het is mijn oom!' protesteerde Bertus' vader. 'We hebben jarenlang gedacht dat hij dood was en nu is hij weer terug!'

'Kan me niet schelen.' Tante Martha fluisterde zo hard dat we het vanuit de tuin konden verstaan. 'Al was hij opgestaan uit het graf, ik wil die viezigheid niet in m'n woonkamer!'

Maar oom Balthasar hoorde niets meer. Hij schrokte alle poffertjes op die tante voor ons gebakken had, klokte drie pakken melk naar binnen, propte tien gekookte eieren in zijn mond, at de hele broodtrommel leeg en de inhoud van de koelkast. Toen liet hij een boer en veegde met een morsige mouw zijn mond af. 'Zo, en nu naar bed!'

'Niks ervan. Eerst in bad!' zei tante onverbiddelijk. 'Dan maak ik intussen de logeerkamer gereed.' Ze wenkte ons. 'Jongens, wijzen jullie deze meneer de badkamer?'

'U kunt het pak wel even hier laten staan, oom,' zei oom Melchior voorzichtig.

'Tsa!' riep de oude. 'Dat pak gaat mee naar de badkamer!'

Wij gingen de trap op en hoorden hoe oom Balthasar achter ons aan het pak kadoeng kadoeng mee naar boven sleepte over de treden. Tegelijk meenden we een vaag geklots te horen, maar dat zou wel verbeelding zijn.

De daaropvolgende dagen liet oom Balthasar zich niet meer zien. Als we aan zijn deur luisterden, hoorden we gesnurk en een enkele keer een schreeuw, alsof hij een nachtmerrie had. Soms klonk er een vreemd geruis, zoals wanneer je een schelp tegen je oor houdt. Hoe hard we ook riepen of klopten, hij werd niet wakker. Maar het eten dat tante elke avond op een blad voor zijn deur zette, was de volgende dag wel schoon op.

Toen oom Balthasar de eerste dag na een uur uit de badkamer was gekomen, had hij om de sleutel van de logeerkamer gevraagd en de deur op slot gedaan. We konden dus niet naar binnen sluipen om te kijken hoe het met hem ging. Van buitenaf was er niets te zien, want hij had de gordijnen dichtgetrokken. En het pak was tegelijk met hem in de logeerkamer verdwenen.

'Het is vast een ontzettende smeerboel daarbinnen,' verzuchtte tante na een week. 'Ik heb een dag nodig gehad om de badkamer weer schoon te krijgen. Alles zat onder de zwarte vegen en spetters.'

'In elk geval heeft hij zich gewassen,' merkte oom op. 'Dat is tenminste iets. En hij heeft schone kleren aan.'

Oom Balthasar had een stel oude kleren van oom Melchior gekregen, die hij altijd aantrok als hij in de tuin ging werken of in huis moest klussen. De oude man had zijn eigen kleren meegenomen naar de logeerkamer. Tot ongenoegen van tante, die ze met de vuilnisman had willen meegeven.

'Kun je hem niet vragen wanneer hij weggaat?' vroeg ze.

'Dat is niet erg gastvrij,' sputterde oom Melchior tegen. 'Bovendien heeft hij ons nog niet verteld waar hij al die jaren is geweest. En ik heb hem ook nog niet kunnen zeggen dat zijn broer is gestorven. Dat is vast een hele schok voor hem.'

'Hij was anders niet erg benieuwd naar je vader,' zei tante verwijtend.
'Maar hij was uitgehongerd en doodmoe, Martha!'
'Laten we een briefje schrijven en dat onder zijn deur door schuiven.
Daar móét hij wel antwoord op geven,' besloot tante.
Ze schreef hem een briefje met daarin de vraag hoe lang hij nog dacht
te blijven. En of hij kon bewijzen dat hij echt oom Balthasar was, want
dat kon iedereen wel zeggen.
Na twee dagen was er nog steeds geen antwoord.
'En nu ben ik het zat!' zei tante. 'Ik zet niks meer voor z'n deur. Als hij
wat te eten wil hebben, dan komt-ie het maar halen! Kunnen we hem
meteen vragen wat-ie daarbinnen allemaal uitspookt.' Ze keek naar
ons. 'Waar is trouwens m'n waslijn gebleven? Hebben jullie ermee ge-
speeld?'
'Nee, tante,' zeiden wij. 'Hoezo?'
'De een of andere onverlaat heeft hem meegenomen en de schone was
op de grond gegooid. Er staan vieze voeten op. Kan ik die lakens weer
opnieuw gaan wassen!'

Een weeklang hielden we om beurten de wacht voor de logeerkamer,
maar de deur bleef dicht.
Oom Melchior keek benauwd. 'Straks ligt-ie nog dood op bed!'
'Welnee,' zei tante met haar oor tegen het sleutelgat. 'Ik hoor hem ron-
ken.' Ze schudde haar hoofd. 'Ik snap d'r niks van. Hoe houdt-ie het vol
zonder eten en drinken?' Ze keek naar ons en kneep haar ogen half-
dicht. 'Jullie stoppen hem toch niet stiekem wat toe als het jullie beurt
is, hè?'
Mijn neef en ik schudden heftig ons hoofd. 'Nee hoor!'
'Hm,' zei tante, niet helemaal overtuigd.
'Wat doen we nou?' vroeg oom Melchior.
'We halen de politie erbij. Ik wil die man geen dag langer onder mijn
dak.'
'Maar het is mijn oom!'
'Dat zoeken ze op het bureau maar uit,' zei tante Martha. 'En ik bel ge-
lijk de ontsmettingsdienst.'
'Maar het is écht mijn oom. Toen ik hem zag, dacht ik even dat het
mijn vader was. Ze lijken als twee druppels water op elkaar.'
'Melchior, ik wil er verder geen woord meer aan vuil maken!' Tante
Martha klemde haar lippen afkeurend op elkaar.

'Kunnen we niet nog één dag wachten?' smeekte oom. 'Dan schrijf ik het op een briefje, van de politie en zo. Als oom Balthasar dat leest, komt hij vast wel uit zijn kamer.'
'Vooruit dan, maar dit is echt zijn laatste kans!'
Oom Melchior knikte dankbaar. Hij schreef meteen een briefje:

Geachte oom,
Graag zouden wij gauw van u vernemen of u echt oom Balthasar bent. Niet dat ik daaraan twijfel, maar Martha wil het graag zwart op wit. Anders haalt ze de politie erbij. Het is gezelliger als u uit uw kamer komt, dan kunnen we wat bij-praten en zo.
Met vriendelijke groeten,
Uw neef Melchior
PS Hoe lang denkt u nog te blijven?

Hij deed het briefje in een envelop waar hij met grote letters oom BALTHASAR op schreef en schoof hem voorzichtig onder de deur van de logeerkamer door.
Die avond verscheen er een lekplek in het plafond van de huiskamer. Recht onder de kamer van oom Balthasar. Bertus en ik zeiden niets te-gen oom en tante, we zouden zelf op onderzoek uit gaan.

Het zeegezicht

's Avonds lagen we in het stapelbed op Bertus' kamer, naast het logeer-vertrek. We wachtten tot oom en tante naar bed waren, dan zouden wij in actie komen. Ik sliep al bijna toen ik wakker schrok van een luid gekrijs. Het kwam uit de kamer naast ons. Iemand kneep in mijn arm. 'Zebedeus!'

Het was Bertus. 'Hoorde je dat?' fluisterde hij.

Ik hing over mijn matras met mijn hoofd omlaag, zodat ik mijn neef kon zien in het bed eronder. Hij zag bleek en zijn ogen waren groot. 'Zeemeeuwen?' zei ik verbaasd. 'Hier?'

Bertus knikte.

Zonder nog iets te zeggen, sprongen we uit bed. Ik ging voorop en Bertus volgde een eindje achter me.

'Wat gaan we doen?' fluisterde hij.

'Naar de kamer van oom Balthasar, kijken wat er aan de hand is.'

'Maar de deur zit op slot!'

De vloer kraakte. We hielden allebei onze adem in, maar het bleef stil.

'Ik heb een idee,' zei ik. 'Wacht maar.'

Ik liep terug naar onze kamer en pakte een stripblad. Ik schoof het voor de helft onder de deur door. Met een smal potlood prutste ik net zo lang in het slot, tot ik aan de andere kant iets op de grond hoorde vallen. Voorzichtig trok ik het blad weer naar me toe.

Er lag een sleutel op.

'Gaaf!' zei Bertus.

Ik wuifde het compliment weg. 'Och, dat heb ik ze wel eens in films zien doen.' Zwijgend stak ik de sleutel in het slot en draaide hem om. Toen zwaaide de deur open.

Het volgende moment scheerde er iets rakelings over onze hoofden, dat luid krijsend in de gang verdween.

Bertus knipperde met zijn ogen. 'Was dat een...?'

'Ja,' zei ik. 'Dat was er een. Naar binnen. Snel!'

We rolden de kamer in en ik sloot meteen de deur.

Er hing een bedompte lucht in de logeerkamer, alsof er in geen dagen een raam was geopend. Bovendien stonk het er naar vis en vogelpoep.

'Oom Balthasar?' fluisterde ik.

Geen antwoord.

'Misschien is-ie nou echt dood,' zei Bertus beverig. 'Ligt er een lijk in de kamer...'

'Welnee, joh. Hij slaapt gewoon.'

We luisterden, maar er klonk geen gesnurk. Er klonk niets, behalve het gebonk van mijn hart. Ik tastte als een blinde langs de wand. 'Waar zit het lichtknopje?'

'Hier,' zei Bertus.

Een klik en de kamer baadde in een zee van licht. Het was een puinhoop. Het bed zag eruit alsof er een vechtpartij op had plaatsgevonden. De kap van de staande schemerlamp hing scheef, en de grond lag bezaaid met beschimmelde etensresten, visgraten en zeewier. Alles zat onder de vogelpoep. Maar oom Balthasar was nergens te bekennen.

Mijn neef keek stomverbaasd. 'Visgraten? Zeewier?'

'Vergeet die zeemeeuw niet,' mompelde ik.

'Maar hoe...'

Een aanzwellend geruis deed Bertus zwijgen.

'Dat lijkt wel...' begon ik.

Bertus knikte. 'Water. Water dat aanspoelt op het strand.' Hij wees met een trillende vinger voor zich uit. 'K-kijk!'

Aan een roestige spijker op de muur tegenover ons hing het rechthoekige pak dat oom Balthasar had meegenomen. Het papier zat er nog steeds omheen, maar in het midden was er een groot stuk afgescheurd. Door het gat was een klotsende zee zichtbaar. Het water was zo levensecht geschilderd dat je er gewoonweg draaierig van werd.

'Zie je het nou!' drong mijn neef aan.

'Het schilderij? Natuurlijk zie ik dat.'

'Dat bedoel ik niet!'

Ik keek nog eens goed en toen zag ik het. Het schilderij hing een tikje scheef naar links en het papier dat om de linkerhoek onderaan zat, was doorweekt. Er sijpelde een straaltje water uit. De oorzaak van de lekkage. Ik hapte naar adem. 'Dat... dat kan niet!'

'Nee,' beaamde Bertus, 'toch is het zo.'

Zonder elkaar aan te kijken, scheurden we de rest van het papier weg.

Algauw was het hele schilderij zichtbaar. Het was gevat in een brede, krullerige lijst die ooit verguld was geweest. De zee vulde bijna het hele doek. Erboven was nog een stukje van een zilveren lucht zichtbaar met grauwe wolken. Over het water lag een vreemde gloed.

'Het beweegt,' zei Bertus. 'Zie maar, het gaat op en neer.'

'Dat komt doordat je ernaar staart,' probeerde ik nog. 'Dan lijkt het net alsof er beweging in zit.'

'Pha!' zei hij smalend. 'En waar komt die lekkage dan vandaan?'

'Een kapotte leiding?'

Bertus schudde het hoofd. Terwijl hij strak naar de zee bleef kijken, stak hij er aarzelend een hand naar uit. Vlak voor het schilderij stopte hij, alsof hem de moed ontbrak om verder te gaan. Toen tikte hij met zijn wijsvinger tegen het doek. Hij gaf een gil en trok hem haastig weer terug, alsof hij door een wesp was gestoken.

'Wat is er?' vroeg ik geschrokken.

Zwijgend toonde Bertus zijn natte vinger.

'Dus het water ís echt,' mompelde ik. 'Dan weet ik waar oom Balthasar naartoe is.' Ik zweeg even. 'Hij heeft zijn kamer niet verlaten, maar hier is hij ook niet. Dan blijft er maar één mogelijkheid over...'

Tegelijk riepen we: 'Het schilderij!'

Er werd op de deur gebonkt.

'Oom Balthasar!' Het was de vader van Bertus. 'Oom Balthasar, wat gebeurt daar allemaal?' vroeg hij bezorgd. 'Hebt u hulp nodig?'

De klink ging langzaam omlaag.

Bertus en ik keken elkaar aan. Toen doken we het schilderij in.

Het water was koud. IJskoud. Zo dadelijk bevroor ik nog in mijn dunne pyjama. Ik probeerde mijn hoofd boven water te houden, maar telkens ging ik kopje onder in de hoge golven. Als ik bovenkwam, keek ik om me heen naar Bertus, maar ik zag geen spoor van hem. De wolken hingen zo laag dat ik ze bijna kon aanraken.

'Bertus!' Ik kreeg een scheut zeewater in mijn mond, proestte het uit en hapte naar adem.

'Hellup!' klonk het achter me.

'Bertus!' Ik sloeg met mijn armen in het rond om me om te draaien. Het gezicht van mijn neef was net onder het water verdwenen, er stak alleen nog een hand bovenuit. 'Ik kom eraan!' riep ik.

Maar dat was eenvoudiger gezegd dan gedaan. Het water was zo wild dat ik nauwelijks vooruit kwam. En als ik een paar slagen had gedaan, kwam er een golf die me weer teruggooide. Bertus' hoofd verscheen af en toe boven water, dan slokten de golven hem weer op. Het duurde steeds langer voordat hij weer aan de oppervlakte kwam. Ik moest opschieten. Toen Bertus opnieuw opdook, kon ik hem op het nippertje beetpakken. Ik nam zijn hoofd onder mijn arm en zwom op mijn rug verder.

Ik bedacht net dat we het midden op deze kolkende oceaan niet lang zouden volhouden, toen er plotseling een stok met een haak eraan verscheen. Ik greep de haak met mijn vrije hand beet en probeerde Bertus niet te laten wegglippen.

'Vasthouwe!' brulde een stem boven ons.

We werden een klein houten vlot opgesjord dat uit het niets leek te zijn opgedoken. Ik hield Bertus zo stevig vast dat hij begon te protesteren. 'Auw! Je wurgt me bijna!'

'Stel je niet aan, overgehaalde kakeloeris,' bromde de stem. 'Ben jij nou een soldaat?!'

Bertus zweeg. Waarschijnlijk vroeg hij zich net als ik af wat de stem daarmee bedoelde.

Toen we op onze rug op het vlot lagen, boog zich een rond gezicht over me heen. 'Waar is de rand, Van Gendt?'

'De rand?' herhaalde ik.

Het gezicht kwam nog iets dichterbij. Ik zag nu dat het een borstelsnor had en fonkelende ogen. 'Jij bent Van Gendt helemaal niet!'

'Ik ben Zebedeus,' hijgde ik uitgeput. 'En dit is m'n neef... Bertus.' Ik haalde mijn arm van Bertus' nek, zodat hij weer kon ademen.

'Waar zijn Van Gendt en Loos gebleven?' brieste het gezicht. 'Ze zouden de rand zoeken!'

'Het spijt me,' zei ik, 'maar wij weten van geen rand.'

'En we hebben ook geen idee waar Van Gendt en dinges zijn, meneer,' voegde Bertus eraan toe. 'We weten zelfs niet wíé dat zijn...'

Het gezicht verstrakte. 'Ik ben geen menéér,' sprak het afgemeten. 'Majóór Karelse van het Eerste Bataljon Infanterie. In de houding!'

Meteen schoten we stram in het gelid alsof we al jaren in het leger zaten. Nu we rechtop stonden, konden we de majoor wat beter bekijken. Hij was tonnetjerond en droeg een uniform met ritsen knopen, tressen en onderscheidingen die dof waren geworden. Zijn uniform was versleten en zijn laarzen waren aangetast door het zeewater. Hij hield een koperen helm met een verlepte pluim onder zijn arm en aan zijn riem hing een roestig zwaard.

De majoor paradeerde gewichtig langs ons heen en weer over het piepkleine vlot, alsof hij een lange rij soldaten inspecteerde. Zijn blik gleed misprijzend over onze drijfnatte pyjama's en hier en daar trok hij een mouw of een kraag recht.

Mijn neef stak aarzelend een vinger op. 'Euh... majoor?'

'Ja, soldaat?'

'De infanterie... dat zijn toch voetsoldaten?' zei Bertus, die thuis nog een doos ouderwetse tinnen soldaatjes had en dus expert was op dit gebied. 'Ze vechten toch op land, bedoel ik?'

De majoor knikte. 'Ja? En?'

'Nou uh... wat doet u dan op zee?'

De kaarsrechte rug van de majoor kromde zich een fractie van een seconde, toen hernam hij zich. 'Wij, mijn manschappen en ik, zijn hier verzeild geraakt door nogal eh wonderlijke omstandigheden...'

'Door een schilderij toevallig?' flapte Bertus eruit.

De majoor knakte als een rietstengel. Zijn helm rolde over het vlot en bleef net op het randje liggen. Hij greep ons bij de schouders en duwde zijn snor bijna in ons gezicht. 'Hoe zijn jullie hier beland?!'

'Ook door een schilderij,' antwoordde ik.

We vertelden van oom Balthasar en het pak.

'Hij had zich opgesloten op zijn kamer,' zei Bertus. 'We hielden zijn deur dag en nacht in de gaten, een weeklang. Hij kwam er niet uit, maar we hoorden hem wel snurken. Toen we eindelijk naar binnen konden, was hij foetsjie. Er lagen visgraten in de kamer en zeewier. D'r vloog ook nog een zeemeeuw naar buiten. Hartstikke griezelig.'

'Dat moet allemaal uit het schilderij afkomstig zijn,' ging ik verder.

'En wat voor schilderij was dat?' vroeg de majoor op dringende toon.

Bertus dacht even na. 'Nou, met een hoop water en zo. Woest water. En er dreven grote wolken in een rare schitterlucht. Beetje zoals hier eigenlijk...'

'Het zeegezicht!' De majoor trok wit weg.

'Nou... er was wel een zee,' zei Bertus langzaam. 'Maar een gezicht heb ik niet gezien, hoor.'

'Zo'n soort schilderij héét een zeegezicht,' legde ik uit. 'Het zicht op een zee, snappie?'

'Het zeegezicht!' herhaalde de majoor smartelijk. 'Ooooh! Aaaah!' Hij greep zich vast aan de rand van het vlot.

'Gaat het, meneer?' vroeg Bertus. 'Moet u wat drinken?' Hij gebaarde naar de oceaan. 'Water genoeg.'

'Dat kun je toch helemaal niet drinken, oelewapper!' siste ik. 'Het is zout water, niet zoet!'

De majoor slikte moeilijk en kwam weer overeind. 'Vertel verder...'

'Nou, ik denk dat hij die vissen gevangen heeft in de oceaan op het schilderij om in leven te blijven,' zei ik. 'Omdat mijn tante hem geen eten meer wilde geven. En toen is hij in de lijst gestapt.'

'Waarom heeft-ie dat eigenlijk gedaan?' vroeg Bertus.

Ik haalde mijn schouders op. 'Weet ik veel.' Tegen de majoor zei ik: 'We zijn hem gevolgd en zo kwamen we hier. Oom Balthasar weet vast wel hoe je weer uit het schilderij kunt komen.'

'Hebt u hem soms gezien?' zei Bertus. 'Hij moet hier ergens in de buurt zijn geland, net als wij.'

'Hoe ziet-ie eruit?' vroeg de majoor.

'Euh, hij is kromgebogen...'

'Rafelige winterjas?' onderbrak de majoor.

Wij knikten.

'Breedgerande hoed en versleten schoenen?'

'Ja,' zeiden wij iets enthousiaster. Blijkbaar had oom Balthasar zijn oude kloffie weer aangetrokken.

'Leunt op knoestige tak?'

'Ja ja jaaaaaah!' riepen wij nu jubelend.

'Dan heb ik hem niet gezien,' zei de majoor.

Het was even stil.

'Maar...' begon ik, 'hoe weet u dan...'

'Een tijd geleden heb ik hem gezien. Niet vandaag en ook niet giste-ren, maar een hele tijd terug. Hij spoelde aan op ons eiland.'

'Eiland?' vroeg Bertus. 'Welk eiland?'

Ik beduidde Bertus dat hij zijn mond moest houden.

'Hij wilde precies weten wat er allemaal met ons gebeurd was,' ging de majoor verder. 'En dat hebben we hem verteld...'

Bertus en ik keken elkaar nieuwsgierig aan.

'Enne...' zei ik, 'heeft oom Balthasar toen ook verteld hoe híj in het zeegezicht terecht is gekomen?'

'Nee, hij wilde meteen weer verder,' zei de majoor. 'Hij zou ons opha-len zodra hij wist hoe we eruit konden komen.' Hij zuchtte. 'Maar ja, het duurde maar en duurde maar, en toen zijn we vertrokken met het vlot.'

'Met het vlot?' zei Bertus. 'Welk vlot?'

'Misschien kunt u beter bij het begin beginnen,' stelde ik voor.

'Op de plaats rust!' commandeerde de majoor.

We sprongen van schrik een meter de lucht in.

'Ik zal jullie vertellen wat er gebeurd is. Hoewel ik het nog steeds moeilijk kan geloven en huiver bij elke gedachte eraan.' De majoor be-duidde dat we konden gaan zitten.

We probeerden het ons gemakkelijk te maken, wat nog niet meevalt op een vlot dat deint op woeste golven. Toen we eindelijk zaten, stak de majoor van wal. 'Het schemerde...'

III

Een overweldigend cadeau

Het schemert. Met een hand op zijn zwaard sluipt de majoor door een donker straatje in het oudste deel van de stad. De huizen hangen zo ver voorover dat de gevels elkaar bijna raken. Het ruikt er naar armoe en bederf.

Schichtig kijkt de majoor om zich heen, net zoals de lange soldaat vlak achter hem en de dikke vlak vóór hem. De straten kronkelen hier als slangen en achter elke hoek kan gevaar loeren. Straatrovers die je bewusteloos meppen en je kaal plunderen, bedelaars met besmettelijke ziekten, gemaskerde bandieten die je ontvoeren en voor grof geld verkopen op de markt in Oesbadoer, en nog veel gruwelijker dingen.

De soldaten hebben een geweer met een bajonet, maar ze bibberen van top tot teen. Ze zouden nog schrikken van hun eigen schaduw.

'Van Gendt, zijn we er al bijna?' fluistert de majoor.

Ze blijven staan.

De voorste soldaat haalt een verfomfaaide plattegrond uit zijn ransel en vouwt hem open. Het duurt even voordat hij de plek gevonden heeft. Met een vuile, afgekloven nagel wijst hij op de kaart. 'Hier is het, majoor. Nog maar een klein stukkie.'

'Gelukkig! Deze plek bezorgt me de rillingen.'

De soldaat achter hem knikt instemmend en fluistert: 'Misschien hadden we er nog twee mee moeten nemen.'

Zonder zich om te draaien zegt de majoor verwonderd: 'Nóg twee soldaten, Loos? En waarom dan wel?'

'Nou...' antwoordt de soldaat lijzig. 'Wij beschermen u, maar d'r is niemand om Van Gendt en mij te beschermen...'

'En dan hadden we voor die extra soldaten zeker nog eens twee mee moeten nemen,' zegt de majoor hoofdschuddend.

'Nou...' begint Loos weer.

'En voor die twee óók weer twee, enzovoorts. Dan was het hele bataljon nog niet genoeg geweest, Loos. Hoe minder hoe beter. Anders lopen we veel te veel in het oog.'

'Kunt u dan niet beter alléén verder gaan?' stelt Van Gendt voor. 'Lopen we nog 't minst in het oog.'

'Kop dicht, soldaat!' bast de majoor. 'Doorlopen en kaart kijken!'

Na een tijdje zien ze links van hen een steegje. Het is zo smal dat je er niet doorheen kunt zonder de huizen aan weerskanten aan te raken. De muren zijn vochtig en beschimmeld.

Van Gendt kijkt op de plattegrond en blijft staan.

'Waarom stop je, soldaat?'

'Daar is het,' zegt Van Gendt met een knikje naar de steeg.

De majoor zet grote ogen op. 'Dáár?'

'Tweede huis rechts.'

Vlak voor de deur kijken de drie elkaar onzeker aan. Nu kunnen ze nog terug. Maar dan zwaait hij piepend en krakend open. De lucht van verf, terpentijn en kaarsvet walmt hun tegemoet.

In het duister staat een kale dwerg. Hij bekijkt hen stuk voor stuk en zijn blik blijft rusten op de majoor. 'Het staat al klaar.'

De majoor knikt en mompelt: 'Mooi.'

Zwijgend gaat de dwerg hen voor naar een opkamertje achter in het huis. Er branden een paar grote kaarsen in metalen houders. De vloer is bedekt met verfklodders en stapels omgekruld, vergeeld papier met houtskoolschetsen. Langs de wanden staan lege lijsten, witte doeken, onvoltooide en ingelijste schilderijen tegen elkaar. Op een tafeltje staan kwasten in potten naast een grijnzende schedel met akelig lege oogkassen.

De dwerg geeft een klopje op het doodshoofd. 'Dit is Kletskop. M'n beste vriend,' zegt hij met een kakellachje. 'Hij houdt me altijd gezelschap, maar kletst me tenminste niet de oren van het hoofd.'

Van Gendt en Loos dralen nerveus op de drempel, terwijl de dwerg een groot, rechthoekig pak naar zich toe trekt. 'Het cadeau voor het jubileum van generaal Peereboom, zoals afgesproken een *levensecht* zeetafereel. Dat is dan honderd florijnen.'

De majoor steekt een hand op en puft gewichtig met zijn bolle wangen. 'Ho ho, wacht even,' klinkt het uit de hoogte. 'Eerst zien. Straks probeer je ons een leeg doek in de maag te splitsen.'

'Pha!' Opnieuw stoot de dwerg een lachje uit. 'Geen haar op m'n hoofd! Dit schilderij moet zo gauw mogelijk m'n huis uit!' Hij buigt zich naar de majoor toe. 'Je mag het wel zien, maar het is niet zonder gevaar.'

'Niet zonder gevaar?' De majoor trekt een wenkbrauw op. 'Wat bazel je, man? Laat zien dat schilderij!'

'Het heeft me bloed, zweet en tranen gekost,' vervolgt de dwerg onverstoorbaar. 'M'n hele hebben en houwen heb ik erin gelegd. Hierna schilder ik niks meer, nooit niet.'

'Als je zo de prijs probeert op te drijven, kun je je de moeite besparen,' zegt de majoor. 'Honderd florijnen krijg je en meer niet.'

Het mannetje lijkt hem niet te horen. 'Er is iets met dit schilderij,' fluistert hij. 'Het heeft een vreemde kracht.' Voorzichtig maakt hij een deel van het papier los. 'Kijk maar...'

De majoor kijkt. En kijkt. Zijn ogen worden groot en hij buigt zich steeds verder naar voren, alsof hij het schilderij wordt ingezogen.

Van Gendt en Loos proberen vanaf de drempel te zien wat er zo bijzonder is aan dat zeegeval. Ze gaan op hun tenen staan en strekken hun hals. Maar voordat ze een glimp kunnen opvangen van het schilderij, heeft de dwerg het papier er alweer omheen gedaan.

'Mag ik nog één keer kijken?' smeekt de majoor. 'Heel eventjes maar?'

De dwerg schudt het hoofd. 'Je staat niet sterk genoeg in je schoenen.' Hij houdt een hand op. 'Honderd florijnen.'

Haastig overhandigt de majoor hem het geld. 'Mannen,' zegt hij ademloos, 'help me dat ding naar buiten te sjouwen!'

'Wat zijn we nou eigenlijk?' moppert Loos tegen zijn collega. 'Een transportbedrijf of soldaten? Hiervoor ben ik niet bij het leger gegaan...' Zuchtend zet hij zich in beweging.

Als ze weer op straat staan, vraagt Van Gendt aan de majoor: 'Wat bedoelde die dwerg daar nou mee?'

'Waarmee?'

'Dat u euh niet sterk genoeg in uw schoenen staat.'

'Allemaal apekool,' zegt de majoor snel. 'Kom op, ik wil hier weg zijn voordat het avond wordt. Van Gendt, jij pakt de voorkant. Loos, jij de achterkant. En voorzichtig!'

'Waarom moet ik altijd aan de achterkant?' vraagt Loos.

'Geen gezever, opschieten!'

'Maar onze geweren dan?' zegt Van Gendt.

'Op je rug, naast je ransel!'

Op een drafje lopen ze door de straten, de majoor voorop.

'Wat is dat voor schilderij?' Van Gendt vraagt het voorzichtig. 'Het leek wel of u een spook zag.'

'Gaat je niks aan,' zegt de majoor puffend van inspanning.

De twee soldaten wisselen nieuwsgierig een blik. Ze willen nog wat zeggen als de majoor plotseling blijft staan. Hij legt een vinger tegen zijn lippen en wijst op zijn oren. Ze luisteren alle drie.

In de verte klinken, bijna onhoorbaar, voetstappen. Het geluid komt van ergens achter hen.

'We worden achtervolgd!' zegt Loos.

'Misschien is het die dwerg,' oppert Van Gendt. 'Vindt-ie honderd florijnen te weinig.'

'Zou me niks verbazen,' zegt Loos. 'Iemand die als beste vriend een dooie heeft, deugt niet!'

'Ssst!' sist de majoor.

Ze draaien zich om en turen gespannen in de richting waar ze zojuist vandaan zijn gekomen. Ver kunnen ze niet zien, want de straat gaat al na een paar meter een bocht om.

De voetstappen komen dichterbij, almaar dichterbij.

'Zet het schilderij tegen die muur en pak jullie wapens!' beveelt de majoor op fluistertoon. 'Dit is niet pluis.'

Voorzichtig zetten de soldaten het pakket weg en houden hun geweer bibberend in de aanslag. De majoor staat achter hen, met zijn rug tegen het schilderij, alsof hij het met zijn leven wil verdedigen.

Ademloos wachten ze af.

'Hoor jij dat ook, Loos?' vraagt Van Gendt, terwijl hij strak naar de bocht blijft kijken.

'Die voetstappen? Ja, nogal wiedes.'

Van Gendt schudt het hoofd. 'Nee, ik bedoel wat anders. Een soort geklots. Alsof er water op een rots spoelt of zo.'

'Water? Op een rots?' Loos kijkt naar zijn makker en tikt tegen zijn voorhoofd. 'Zeg, ben jij wel helemaal lekker hierboven?'

'Het komt van ergens achter ons,' zegt Van Gendt. Hij draait zich om en zijn mond zakt open.

In het midden van het pak is een natte plek verschenen, die zich steeds verder uitbreidt. De majoor begint het papier weg te scheuren; eerst nog aarzelend, dan met grote, wilde halen.

Nu kijkt Loos ook. Van schrik laat hij het geweer vallen. 'Wat... wat is dat?!'

Algauw ligt het papier in flarden rondom het schilderij. De majoor staart ernaar alsof hij gehypnotiseerd is. De soldaten staren ook, de dreigende voetstappen zijn ze helemaal vergeten.

Op het doek zien ze een woeste zee, met grote schuimkragen als van versgetapt bier. Erboven zeilen wolken langs een lucht van zilverpapier. Het lijkt niet alleen alsof de zee en de wolken bewegen, het ís ook zo. Water spettert over de vergulde lijst heen op hun uniformen en ze voelen de kou van het zeetafereel op hun gezicht.

'Tovenarij!' prevelt Van Gendt.

Loos zegt niets, hij staart alleen maar.

Dan horen ze de stappen. Tientallen zijn het er opeens. Nog even en ze komen de hoek om.

'Een heel leger!' zegt Van Gendt ademloos. 'Een leger van straatrovers. We worden in de pan gehakt!'

'Die ene was natuurlijk een verkenner,' meent Loos. 'En nu heeft-ie z'n maats opgetrommeld. We kunnen het wel schudden. Ik heb de vreselijkste dingen gehoord over die lui. Ze gaan ons vierendelen...'

Van Gendt knikt. 'Een kopje kleiner maken...'

'En dan vreten ze ons op met huid en haar,' gaat Loos verder. 'Beesten zijn het, die straatrovers. Onmensen...'

'Er ís een uitweg, mannen,' zegt de majoor, die naar het zeegezicht is blijven staren. 'Onze enige, onze láátste kans...'

'Het schilderij?' fluistert Loos.

De majoor knikt grimmig.

'Maar het is behekst,' zegt Van Gendt schor. 'We weten niet waar we in zullen belanden. Misschien komen we er wel nooit meer uit!'

Ze luisteren naar de voetstappen, die nu vlakbij zijn. Dan zien ze één laars de hoek om komen.

Een zwarte.

'Eén twee drie... in godsnaam!' brult de majoor. Hij knijpt zijn neus dicht en springt.

'Wacht op ons!!' roepen de soldaten. En halsoverkop tuimelen ze achter elkaar het schilderij in.

IV

Storm op zee

'Toen we onze ogen openden,' vervolgde de majoor, 'lagen we op een eilandje, midden in de oceaan. Eerst dachten we dat we alles gedroomd hadden, maar toen we boven ons de zilveren lucht zagen en de dreigende wolken, wisten we dat het echt was. We zaten vast in een levend schilderij. En dat allemaal omdat ik laf was...' Hij zweeg en keek somber voor zich uit.

Bertus en ik tuurden een tijdje naar de zee, die zich tijdens het verhaal van de majoor opvallend rustig had gehouden, alsof hij had meegeluisterd. Nu nam de wind weer toe en begon het water op te jagen.

'Een eilandje?' zei ik toen ik er even over had nagedacht. 'Waar dan? Er is toch helemaal geen eiland op het schilderij afgebeeld? Het is alleen maar water, lucht en wolken.'

'Misschien staat er meer op dan je kunt zien,' zei de majoor met een verre stem.

Bertus rilde in zijn natte pyjama, maar niet van de kou.

'Gelukkig waren er palmbomen met kokosnoten op het eiland,' ging de majoor verder, 'en af en toe vingen we regenwater op. Anders waren we omgekomen van honger en dorst. Maar na enkele weken begonnen de kokosnoten op te raken; we aten ze sneller dan er nieuwe groeiden. Intussen was er nog steeds geen schip verschenen. We begonnen al te denken dat we hier de enige levende wezens waren. Toen spoelde jullie oom aan. Hij leek meer te weten over het schilderij, dus hoopten we dat hij ons kon helpen. Maar zoals ik al zei, verdween hij meteen weer en kwam niet meer terug. Daarom besloten we op zoek te gaan naar de rand.'

'De rand?' vroeg Bertus. 'Welke rand?'

De majoor rolde met zijn ogen. 'Van het schilderij natuurlijk! We wilden proberen of we eruit konden

komen. We maakten een groot vlot van een stel palmbomen. Eén palmboom diende als mast met de uniformen van Van Gendt en Loos aan elkaar geknoopt als zeil. Helaas stak er een vreselijke storm op, waardoor het vlot in tweeën brak. Van Gendt en Loos zaten op het stuk met het zeil en verdwenen al snel uit zicht. Gelukkig hadden zowel ik als zij een stel kokosnoten voor onderweg bij ons. De mijne zijn nu op...'

'Hoe lang zit u al op dit vlot?' vroeg ik.

'Weken, op z'n minst.'

Op het gezicht van Bertus verscheen een frons, waardoor hij er slimmer uitzag dan gewoonlijk. 'Wacht es even... U zei toch dat u een paar weken op dat eiland had gezeten?'

'Zo precies weet ik het niet, ventje,' zei de majoor. 'Mijn vestzakhorloge is onbruikbaar geworden door het water.' Hij zuchtte. 'Wat maakt het ook uit? Voor mijn gevoel zit ik hier al eeuwen.'

Bertus knikte. 'Twee eeuwen, om precies te zijn.'

De majoor was zo verbijsterd dat hij geen woord kon uitbrengen.

'Twee eeuwen?!' riep ik uit. 'Hoe kom je dáár nou bij? Dat kan toch helemaal niet, joh!'

'Hier blijkbaar wel,' zei Bertus. 'Heb je het uniform van de majoor al eens goed bekeken? Valt je niks op?'

Ik keek naar het uniform. Het was aangetast door het zeewater en maakte een versleten indruk, maar verder zag ik er niets bijzonders aan. 'Wat bedoel je in 's hemelsnaam?'

'Ik heb thuis tinnen soldaatjes met zulk soort uniformen,' zei mijn neef. 'Die waren eind achttiende, begin negentiende eeuw in de mode. Tweehonderd jaar geleden dus...'

'Tweehonderd?!' De majoor had eindelijk zijn stem teruggevonden. 'Ik zou al tweehonderd jaar in dit schilderij vastzitten?' sputterde hij. 'Belachelijk! Denk je dat ik die nonsens geloof?'

Bertus trok met zijn schouders. 'Toch is het zo, meneer... eh majoor. We leven nu in de eenentwintigste eeuw, eerlijk waar.'

'Zie ik eruit alsof ik twee eeuwen oud ben?' vroeg de majoor. 'Nou?'

'Nee,' begon Bertus. 'Maar...'

'Precies, klinkklare nonsens dus!'

'... misschien loopt de tijd hier anders. Langzamer,' voltooide Bertus.

Opeens bekeek ik mijn neef met andere ogen. Zulke slimme dingen had ik hem nog nooit horen zeggen. Waar haalde hij het vandaan? Met rekenen en taal was ik altijd veel beter geweest, met aardrijkskunde ook. Bertus wist niet eens waar Bovenkarspel lag.

'Bewijs dan maar eens dat er twee eeuwen verstreken zijn,' gromde de majoor. 'Ik geloof er geen biet van!' Hij sloeg zijn armen over elkaar en keek ons donker aan vanonder zijn borstelige wenkbrauwen.

Bertus en ik wierpen elkaar een wanhopige blik toe. Hoe konden we de majoor er nou van overtuigen dat we uit de eenentwintigste eeuw kwamen? We hadden geen mobieltje bij ons, geen contactlenzen, zakcomputer, onderwaterhorloge of iets anders wat duidelijk modern was. Het enige dat we hadden, waren onze pyjama's.

Onze pyjama's!

'Majoor,' zei ik, 'wat droegen de mensen in uw tijd als ze gingen slapen? Zowel de mannen als de vrouwen?'

'Hmpf, wat 'n vraag! Nachthemden natuurlijk. En de mannen een slaapmuts met een kwast. Wat zouden ze anders moeten dragen?'

'Nou, in onze tijd dragen mannen meestal een pyjama.' Ik wees op Bertus en mijzelf. 'Zo eentje als wij aan hebben.'

De majoor was niet onder de indruk. 'Dat? Da's gewoon lang ondergoed. Daar drijven Van Gendt en Loos nu ook in rond. Bewijst niks. Zeker niet dat jullie uit de eenentwintigste eeuw komen. Stelletje fantasten. Alsof het al niet erg genoeg is om opgesloten te zitten in een zeegezicht!'

Inmiddels was het nog harder gaan waaien en het geweld van de storm maakte verder praten onmogelijk. Het vlot danste op en neer alsof een reuzenhand ermee speelde, en hoge golven likten begerig over het dek. We pakten de rand beet om niet overboord te worden gespoeld.

De omvangrijke majoor werd een speelbal van het woeste water. Hij tolde alle kanten op en verloor ten slotte zijn greep op het hout. Met molenwiekende armen gleed hij het gulzige water in. 'Hellup!' Het volgende moment kwam hij weer boven. Hij schudde met zijn hoofd als een verregende hond en brulde: 'Zoek Van Gendt en Loos!'

'Majoor!' riepen Bertus en ik tegelijk.

Maar we konden niets voor hem doen. Als we het vlot loslieten om naar hem toe te zwemmen, werden we meegesleurd door de golven. Bovendien was het vlot al meters van de majoor verwijderd. We konden alleen maar hopen dat hij ergens zou aanspoelen of een stuk drijfhout vond waaraan hij zich kon vastklampen.

De storm raasde nog steeds op volle kracht. Bertus en ik hadden al een tijdje niets tegen elkaar gezegd; het kostte al moeite genoeg om het vlot te blijven vasthouden. Mijn neef zag geelgroen van ellende en ik voelde me ook niet al te lekker.

Er werd aan me getrokken. Even dacht ik dat een of ander zeedier me te pakken had, toen zag ik dat het Bertus was. Hij bewoog zijn lippen, maar door de herrie verstond ik geen woord.

'WAT ZEG JE?!' gilde ik zo hard als ik kon.

Weer ging zijn mond open en dicht. Ik kon zien dat het hetzelfde woord was als daarnet. Bertus stak twee vingers op. Toen stak hij één vinger op, wees ermee op zijn oor, en greep haastig weer het vlot beet.

'EERSTE LETTERGREEP?!' riep ik.

Bertus knikte.

'OOR?!'

Opnieuw een knikje. Goed, nu de tweede...

Mijn neef dacht een tijdje na. Toen opende hij zijn mond zo ver als hij kon en stak zijn tong naar mij uit.

Dat liet ik niet op me zitten, ik deed hetzelfde.

Bertus schudde het hoofd.

Toen begreep ik het. 'Zeg eens AA!'

Weer een knikje.

Oor-aa? Wat was dat nou weer voor iets? 'Orca!' riep ik. Mijn blik schoot over het ons omringende water, op zoek naar een enorme vis die op het punt stond mij op te slokken. Maar ik zag niets. Toen ik weer naar Bertus keek, vormde hij met zijn mond een N. Het duurde een paar tellen voordat het tot me doordrong wat hij bedoelde.

'ORKAAN!!'

In de verte zag ik nu een tornado die razendsnel dichterbij kwam. Onze kant op. Er was geen ontkomen aan; het vlot was stuurloos, dus we konden met geen mogelijkheid uitwijken.

'VASTHOUDEN!!' brulde ik. 'NIET LOSLATEN!!'

Bertus knikte en verstevigde zijn greep.

Ik hield mijn hoofd omlaag, kneep mijn ogen stijf dicht, en wachtte op wat er ging gebeuren. Even later voelde ik hoe we met vlot en al werden opgezogen, alsof we in een reusachtige stofzuiger verdwenen. Toen was het doodstil en ik opende mijn ogen. Er wervelde een muur van wind en water om ons heen. 'Bertus?' vroeg ik, 'ben je er nog?'

'Ik geloof van wel.' Mijn neef hield nog steeds het vlot vast. Zijn ogen waren zo groot als schoteltjes. 'Waar zijn we?'

'In het hart van een tornado,' zei ik, 'daar is het altijd windstil. Maar dat zal wel niet lang duren...'

Bertus slikte. 'En dan?'

'Dan...'

Ik kreeg geen tijd om mijn zin af te maken. Het volgende moment werd ons vlot meegesleurd in het binnenste van de wervelende wind. Met een ongelofelijke snelheid cirkelden we omhoog tot het vlot boven op de tornado bleef ronddraaien, als een porseleinen bord op het stokje van een jongleur.

Onder ons gaapte een enorme afgrond.

'Niet naar beneden kijken!' riep ik.

'Ik kijk nergens naar!' riep Bertus terug met dichtgeknepen ogen.

En dat was maar goed ook, want plotseling werden we met een geweldige slinger weggesmeten. De lucht zoefde langs onze oren en onder ons schoot de oceaan voorbij.

Toen bedacht ik iets.

'Laat los!' riep ik.

'Waaaat?!'

'Laat het vlot los. NU!'

'Ben je niet goed snik?' riep Bertus, nog steeds met gesloten ogen. 'Dan vallen we te pletter!'

'Als je niet loslaat wel,' riep ik. 'Dan maken we een doodsmak, want met vlot zijn we veel zwaarder dan zonder.' Ik zweeg even om op adem te komen en voelde dat we al aan het dalen waren. 'Ik tel tot drie. Dan laten we los en grijpen meteen elkaars handen beet. Zo doen parachutisten het ook.'

'Maar die hebben parachutes!' piepte Bertus.

'EEN!'

Het water begon steeds dichterbij te komen.

'TWEE!'

Ik maakte mijn ene hand los.

'DRIE!!'

En toen mijn andere.

Bertus slaakte een gil en deed hetzelfde.

In de lucht grepen we elkaars handen beet. Met onze gezichten naar elkaar toe en onze lichamen horizontaal, suisden we omlaag, draaiend om onze as. Veel verder naar beneden belandde het vlot met een geweldige klap in zee. Het spatte uit elkaar en de palmbomen dreven alle kanten uit. Ik was blij dat wij er niet meer aan vast zaten. Maar ook al ging het minder snel dan eerst, we vielen nog steeds.

'We moeten elkaar loslaten!' riep ik.

'Nooit!!' Bertus kneep mijn handen fijn.

'Auw! Kijk uit, stommerd! We moeten als een bommetje vallen. En dat kan niet als we elkaar blijven vasthouden. Dan knallen we plat op het water en dan zijn we d'r geweest!'

'Kwilniet!' jammerde Bertus.

Het water was nu zo dichtbij dat ik de zilte lucht kon ruiken. Maar ik rook ook iets anders; een geur van afgeknapte twijgjes, schors en bladeren. Ik keek naar beneden en zag een groene zee. Alleen was het geen zee, het was een eilandje dat schuilging onder een reusachtig bladerdak. En we waren er nog maar een meter of twintig van verwijderd.

'Vasthouden!' riep ik. 'We gaan landen!'

Bertus opende zijn linkeroog en keek naar mij. 'Hoef... hoef ik niet meer los te laten? Echt niet?'

'Nee, want we komen niet in het water terecht.'

'O,' klonk het opgelucht. 'Maarre... waar komen we dán terecht?'

'Kijk maar.'

Bertus deed zijn andere oog open en keek omlaag. Zijn mond ging open en pas na een hele tijd klonk het: 'Helluuuuuuuuuup!!!!!'

V

Pannenkoeken en paniek

PLOEFF!

Op onze buik landden we in een vangnet van takken en bladeren. 'Dat ging maar net goed,' mompelde ik. 'Nog een geluk dat dat bos hier is, anders was het slecht met ons afgelopen!' Het kraakte en ritselde toen ik overeind krabbelde. 'Bertus?'

Bertus lag stil op zijn rug naast me. Zijn ogen staarden in het niets. Ik schudde hem heen en weer. 'Bertus!! Leef je nog?!'

Hij knipperde met zijn ogen. 'Ik zag een gezicht,' zei hij langzaam. 'In de zee. Het keek. Naar ons...'

'Een gezicht?' herhaalde ik. 'Het zal de schrik zijn. Ik heb geen gezicht gezien hoor.' Voorzichtig hielp ik hem overeind te komen.

'Weet je het zeker?' Mijn neef keek mij indringend aan. 'Het leek zo echt.'

'Heel zeker.'

Zwijgend plukte Bertus twijgjes en verdorde blaadjes uit zijn haar. 'Wat doen we nu?' vroeg hij uiteindelijk.

'Proberen beneden te komen. Misschien kunnen we zelf een nieuw vlot maken. Bomen genoeg. En dan gaan we op zoek naar Van Gendt en Loos. En de rand. En oom Balthasar natuurlijk.'

Om ons heen wemelde het van de takken. Ze waren zo dik dat je er makkelijk overheen kon lopen zonder eraf te vallen. En de bomen stonden zo dicht op elkaar dat hun takken door elkaar heen groeiden. Omdat het eilandje overdekt was met bos, kon je van de ene naar de andere kant ervan komen zonder ooit een voet op de grond te zetten.

'Ik bedenk opeens iets,' zei Bertus, terwijl we langs schuin lopende takken afdaalden. Hij keek bedrukt. 'Mijn ouders, hè... als ze het schilderij zien... nou ja, zouden ze er dan ook...'

'Sodeju, daar had ik nog helemaal niet aan gedacht! Straks slokt het hen ook op!' Ik roetsjte een boomstam af. 'Wij moeten zo snel mogelijk oom Balthasar zien te vinden, Bertus, voordat er nog meer mensen in het schilderij verdwijnen. Hij is de enige die weet hoe je eruit kunt komen.'

'Maar we kunnen toch ook eerst de rand zoeken?' hijgde mijn neef een eind achter me. 'Als we die gevonden hebben, stappen we d'r gewoon overheen. Hebben we oom Balthasar niet eens nodig.'

'Als het zo eenvoudig is,' zei ik, 'waarom zijn Van Gendt en Loos dan nog steeds niet teruggekomen? Misschien is die rand nergens te vinden, of zijn ze verdwaald in het zeegezicht.'

Bertus bleef staan en leunde moedeloos tegen een tak. 'Straks verdwalen wij ook en dan komen we hier nooit meer uit!'

'Daarom moeten we voortmaken.'

'Maar we hebben geen enkel spoor, hoe wil je...' Bertus zweeg. Hij stak zijn neus in de lucht en snufte. 'Versgebakken pannenkoeken...'

'Versgebakken wát?!'

'Pannenkoeken,' zei Bertus. Hij wreef over zijn maag. 'Hmm, eigenlijk heb ik best trek!'

Buiten het schilderij moest het zo langzamerhand ochtend zijn, maar in het zeegezicht merkte je daar niets van, want het licht bleef hier hetzelfde.

Mijn maag knorde. 'Ik lust ook wel wat,' moest ik toegeven. 'Waar komt die geur vandaan?'

We liepen onze neuzen achterna. Omhoog ging het, steeds verder omhoog, tot we een flakkerend lichtje zagen.

Een eindje boven ons bevond zich een nest dat door een enorme vogel leek te zijn gemaakt. Het was zo'n vier meter breed en ongeveer even lang. Het bestond uit grote takken en twijgjes die kunstig door elkaar waren gevlochten. Erboven hing een dicht bladerdak dat eruitzag alsof iemand het had bijgeknipt met een keukenschaar.

'Kom op,' fluisterde ik. 'We gaan een kijkje nemen.'

We kropen verder omhoog en hielden onze adem in.

Het licht kwam van een olielamp die op een tafel stond, midden in het nest. Een houten keukentafel met een geruit kleedje erop en vier stoelen eromheen. Verder stonden er een ouderwets fornuis en een keukenkastje. Aan een boom hing een ingelijste lap waarop met sierlijke letters *Oost west, thuis best* was geborduurd. Naast de olielamp stonden een kan stroop en een pot suiker. En een bord met een torenhoge stapel dampende pannenkoeken...

'Aanvallûh!' brulde Bertus.

Voordat ik hem kon tegenhouden, stortte hij zich als een hongerige wolf op de pannenkoeken. Hij sleurde de bovenste van de stapel, verzoop hem in een mengsel van stroop en suiker, rolde hem op en propte hem in zijn mond. Het was een onsmakelijk gezicht.

'Uit de weg!' Ik duwde Bertus opzij en griste vier pannenkoeken tegelijk van het bord. Met een dikke laag stroop en daarop weer een laag suiker maakte ik er een heuse pannenkoekentaart van, waar ik gulzig een hap uit nam. 'Zo kan het ook!' zei ik met volle mond.

Algauw zaten we zelf onder de suiker en de stroop, maar dat deerde ons niet. We aten door tot alles schoon op was en leunden toen voldaan achterover in onze stoelen.

'Poeh poeh,' mompelde Bertus. 'Effe uitbuiken hoor.'

'Zeg dat wel!' verzuchtte ik.

'Van wie zou dit zijn?'

'Vast iemand die ook door het schilderij hier is beland, denk je niet? Hoe zou je hier anders moeten komen?'

'Maar al die spullen...' Bertus gebaarde om zich heen. 'Hoe zijn die hier dan gekomen? Ik dacht dat het zeegezicht alleen mensen aantrok.'

'Geen idee,' zei ik. 'Misschien weet oom Balthasar daar een antwoord op. Als we hem ooit vinden, tenminste...'

Eigenlijk moesten we meteen verder gaan om hem te zoeken, maar ik begon te knikkebollen. Ook Bertus kon zijn ogen nauwelijks meer openhouden. Af en toe schoot hij overeind en dan sufte hij weer weg.

'We gaan morgen verder,' besloot ik. 'Laten we maar een plek zoeken waar we kunnen slapen.'

Bertus kreunde. 'Ik geloof niet dat ik mijn stoel nog uit kom!'

'Hier kunnen we niet blijven, Bertus. Straks komt degene die de pannenkoeken heeft gebakken terug, en dan...'

'Hemeltjelief!' riep een hoge stem. 'Jóngens!'

We keken op en zagen een meisje van een jaar of zeventien in een ouderwetse japon met een kraagje tot aan haar kin. Op haar lange, donkere haren prijkte een plat strooien hoedje met een lint eraan. De stapel twijgjes en takjes die ze had meegenomen, had ze op de grond laten vallen.

Ze draaide zich om en riep: 'Dorothée, ze hebben ons gevonden!'

Ik stond op. 'Euh, juffrouw... Het spijt ons dat we uw pannenkoeken hebben opgegeten. We hadden honger. En het zag er zo lekker uit. Maar we zullen u niet langer lastig vallen, we gaan meteen weg.'

Achter de dame verscheen er nog een. Ze leek als twee druppels water op de eerste, alleen droeg ze geen hoedje. 'Wat is er, Amélie?'

'Kijk dan, Dorothée! Kijk!'

Dorothée keek.

'Het zijn vast spionnen van Hoveling!' riep Amélie met overslaande stem. 'En ze staan daar zomaar in hun ondergoed! Die onverlaat heeft ze natuurlijk een grijpstuiver gegeven om achter ons aan te gaan het schilderij in, omdat-ie het zelf niet durfde. En nu moet ik met hem trouhouhouwen!' Ze sloeg haar handen voor haar gezicht en barstte in snikken uit.

'Is dat zo?' vroeg Dorothée streng.

'Ik weet niet wie die Hoveling is,' zei ik. 'En ik heb geen idee waar het over gaat, maar we zijn geen spionnen.'

'En dit is geen ondergoed,' voegde Bertus er verontwaardigd aan toe, 'maar een pyjama.'

Dorothée zette haar handen in haar zij. 'Wat doen jullie hier dán? Zijn jullie soms uit de lucht komen vallen?'

'Ja,' zei Bertus, 'toevallig wel.'

'Pha!' klonk het spottend. 'Dat zal best. Kon je geen beter smoesje bedenken? Hoeveel heeft Hoveling jullie gegeven? Zeg op!'

'Het is geen smoesje,' zei ik tegen Amélie. 'We dreven op zee, op een vlot. Toen kwam er een tornado en die heeft ons naar dit eiland geblazen.'

'Een tornado?' Dorothée keek peinzend.

'Da's niet waar!' snikte Amélie. 'Je kunt hier alleen maar komen als je in dat gruwelijke zeegezicht springt. En dat staat bij ons thuis in de keuken!'

Bertus snoof verontwaardigd. 'O ja? Dat kan helemaal niet, want het hangt op onze logeerkamer!'

'Nietes!'

'Welles!'

'Nietes!' Amélie stampvoette. 'Je liegt! Hoe kan het nou op twee plaatsen tegelijk hangen?'

'Ja,' zei Dorothée, die zich losrukte uit haar gedachten. 'Hoe kan dat?'

'Ik lieg niet!' bromde Bertus.

Ik zuchtte. 'Misschien kunt u beter gaan zitten, dames, want het is een heel verhaal...' Ik vertelde in het kort over oom Balthasar, het lekkende pak, de majoor en Van Gendt en Loos. 'En nu zitten we hier,' besloot ik. Het was even stil.

'En het schilderij staat nu bij je neef Bertus thuis,' zei Dorothée na een tijdje. 'Maar hoe is die oom Balthasar er dan aan gekomen?'

'Dat willen wij ook graag weten,' zei Bertus. 'Maar hij is spoorloos. Of hebt u hem toevallig gezien?'

Amélie steunde met haar hoofd in haar handen op de tafel. 'We hebben hier al in geen weken iemand gezien, tot jullie plotseling opdoken. Of is het tientallen jaren? O Dorothée, ik weet niet meer wat ik geloven moet!'

'Ik ook niet. Maar als deze twee de waarheid spreken, hoef jij in elk geval niet meer bang te zijn voor Hoveling,' troostte Dorothée. 'Die is al jaren en jaren de pijp uit.'

Amélie giechelde zenuwachtig. 'En oom Anton ook,' zei ze. 'Net goed, wat een naarling was dat!'

'Amélie!' zei haar zusje geschokt. 'Zoiets mág je niet zeggen! Al heb je wel een beetje gelijk...' voegde ze er zachtjes aan toe.

Bertus en ik keken elkaar vragend aan.

'Oom Anton was onze voogd,' legde Dorothée uit. 'Hij stond erop dat Amélie met Hoveling zou trouwen, maar dat wilde ze niet.'

'Jacobus Hoveling is... wás een miezerig mannetje!' zei haar zusje vol walging. 'Hij was alleen maar op onze erfenis uit. Net als oom Anton. Geld, dat was het enige wat ze interesseerde!'

'Op 31 december 1899, om één minuut voor middernacht, zou oom Anton in de grote zaal van ons buitenhuis de verloving van Amélie en Hoveling bekendmaken,' vertelde Dorothée. 'Er waren een heleboel deftige gasten uitgenodigd. Maar toen het zover was, was Amélie nergens te bekennen.'

'Wat was er dan gebeurd?' vroeg ik nieuwsgierig. 'Was Amélie soms van huis weggelopen?'

'Of had haar minnaar haar geschaakt?' vroeg Bertus, die weleens in het geniep liefdesromannetjes van zijn moeder had doorgebladerd. 'Stond-ie met z'n witte paard onder haar balkon en klom ze langs aan elkaar geknoopte beddenlakens omlaag?'

Amélie giechelde. 'Mallerd!' Toen keek ze weer ernstig. 'Nee, niets van dat alles. Het ging zo. Kort voor middernacht glipte ik stiekem de zaal uit...'

VI

De rommelzolder

Kort voor middernacht glipt Amélie stiekem de zaal uit. Ze sluit de deur zo zachtjes mogelijk en dan staat ze in een brede gang met marmeren borstbeelden, antieke wandtapijten en schilderijen. Er is geen mens te bekennen, zelfs geen bedienden.

Haar hart bonst hevig. Zo dadelijk wordt ze gemist en dan gaan ze haar zoeken. Snel, ze moet snel iets bedenken! Waar moet ze naartoe? Naar buiten? Ze schudt haar hoofd. In het park hebben ze haar zo gevonden. Naar de keuken en doen of ze een koksmaatje is? Te gevaarlijk. Een van de koks kan haar verklikken in ruil voor een wit voetje bij oom Anton.

Dan weet ze het.

Snel trippelt ze door de gangen. Bij elke hoek blijft ze staan om te kijken of de kust veilig is. Dan komt ze in een grote hal met in het midden een enorme trap. Links en rechts ervan hangen portretten van verzuurde dames en heren, die met een afkeurende blik toezien hoe ze zich naar boven haast. Steeds hoger gaat het, verdieping na verdieping, de ene trap na de andere. De trappen worden almaar smaller, tot ze bijna boven in het oude landhuis is.

Amélie aarzelt voor de deur naar de zolder. Hierboven is ze nog nooit geweest, omdat haar ouders het verboden hadden. 'Veel te gevaarlijk, kind! Het staat daar zo ontzettend vol, je zou iets op je hoofd kunnen krijgen.' Maar haar ouders zijn al jaren dood en oom Anton kan het niets schelen als ze iets op haar hoofd krijgt. Zou de deur op slot zitten? vraagt ze zich af. Ze duwt de klink omlaag en hij gaat piepend open.

Een belegen lucht komt haar tegemoet als ze de smalle, vervelozee traptreden beklimt. Ze kraken en kreunen onder haar voeten, alsof ze ontwend zijn dat er iemand op loopt.

Er is hier al heel lang niemand meer geweest, denkt Amélie. Des te beter, dan zullen ze mij hier ook niet zo gauw zoeken.

Door een dakraampje valt een bundel maanlicht. De grote zolder staat propvol. Als haar ogen aan het duister gewend zijn, ziet ze een hutkoffer, een telescoop, een verroest anker, een wormstekig boegbeeld, een opgezette papegaai op een stokje, een oud kanon, een klerenkast, en nog veel meer. Alles is overdekt met een dikke laag stof en slierten spinrag.

Hier kan ze zich makkelijk verstoppen.

Amélie kijkt in de hutkoffer, maar die zit vol zware boeken. In de kast hangen vier bontmantels die naar mottenballen ruiken. Daar kun je je wel mooi achter verbergen, maar ze houdt het vast niet lang uit in die stinklucht. En wie weet hoe lang ze hier nog moet blijven zitten. Wat moet ze eigenlijk doen als ze haar niet langer zoeken? Dat ziet ze dan wel weer. Eerst moet ze een goede schuilplek zien te vinden.

Want trouwen met Hoveling? Dat nooit!

Ze gaat verder de zolder op. Hier is het aardedonker, maar dan ziet ze opeens licht schijnen door een kiertje in de planken vloer. Ze buigt zich eroverheen en kijkt.

Ze ziet een stukje van de gang op de verdieping onder haar. Mensen rennen druk heen en weer. Ze ziet niet alleen bedienden, maar ook gasten in avondkleding. Deuren worden opengesmeten en dichtgegooid, er wordt geschoven met stoelen en tafels. Zelfs het tapijt wordt opgetild, alsof ze zich daaronder zou kunnen verbergen... Ze hebben haar verdwijning sneller opgemerkt dan ze had gehoopt. En ze zijn al helemaal boven! Is ze hier nog wel veilig?

Ze hoort ook stemmen.

'Waar zit ze nou? Het lijkt wel of ze in rook is opgegaan!' zegt een onbekende stem. Dat zal een van de gasten zijn, ze kan het niet goed zien door dat smalle kiertje.

'Vind haar, anders vlieg je eruit!'

Dat is oom Anton.

'Ja meneer! Zeker meneer! Onmiddellijk meneer!' zegt een van de bedienden onderdanig. 'Maar ik weet zeker dat ik haar helemaal naar boven zag gaan, meneer!'

'Ik wist het,' klinkt het snerpend. 'Ik wíst dat ze me zoiets zou flikken! En dat waar iedereen bij is. Ze heeft me voor schut gezet, dat weerbarstige wicht, maar ik zal haar krijgen!!'

Hoveling!

De schrik slaat Amélie om het hart. Hij is zelf naar boven gekomen, om haar te zoeken. Om haar te halen... Nooit kwam hij verder dan de salon, waar hij het keurige heertje speelde met beleefde knikjes, gebaartjes en glimlachjes. Een slinkse spin, wachtend op de kans haar in zijn web te vangen. Nu toont hij dan zijn ware aard.

'Maak je niet druk,' hoort ze oom Anton zeggen. 'Ze zal ons niet ontkomen en dan zetten we het haar betaald. Letterlijk!' Hij lacht akelig en de rillingen lopen Amélie over de rug.

'Wat zit er achter deze deur?' vraagt Hoveling.

'O, da's de rommelzolder,' zegt haar oom. 'Maar daar zit ze vast niet, hoor. Duisternis, stof, spinnen en opgetaste herinneringen... da's niks gedaan voor jonge juffers.'

'Toch neem ik graag het zekere voor het onzekere,' zegt Hoveling verbeten. 'Hebt u een lantaarn voor mij?'

'Natuurlijk, beste jongen, maar kijk uit dat je je nek niet breekt over alle troep daarboven.'

'Maakt u zich geen zorgen. *Ik* kan uitstekend op mezelf passen, het is Amélie die uit moet kijken...'

Even later piept de deur en kraken de treden. In de verte ziet Amélie een lichtje naar boven dansen.

Ze moet zich verstoppen. Nu!

Nog verder gaat ze de zolder op, tot ze niet verder meer kan. Ze voelt met haar handen langs de spullen, die hier hoog staan opgestapeld. Als haar vingers iets vochtigs aanraken, trekt ze geschrokken haar handen terug. Ze maakt ze droog met een zakdoekje. Wat is dat? Opnieuw steekt ze haar handen uit. Het is een vochtige lap die over iets groots hangt. Iets rechthoekigs.

'Waar zit je, m'n duifje?' Hovelings stem klinkt honingzoet.

Amélie gaat op haar hurken zitten en houdt haar adem in. Woedend denkt ze: ik ben je duifje niet, griezel!

'Ik weet dat je hier ergens bent, Amélie. Je kunt geen kant op, vroeg of laat zal ik je vinden...'

De lantaarn komt dichterbij, hij lijkt uit zichzelf door de lucht te zweven. Dan ziet ze Hovelings gelaat. Het wordt van onderaf spookachtig belicht; zijn ogen lijken spleetjes en de dunne lippen onder het snorretje zijn vertrokken in een boosaardige grijns.

'Ze wachten op ons. En ik kan niet wachten tot je de mijne wordt.'

Hoveling steekt een benige hand uit. 'Kom...'

Plotseling klinkt ergens achter haar een zacht geruis, als van golven op een strand.

Zát ik maar op het strand, denkt Amélie verlangend. Alles beter dan hier! Dan draait ze zich om en voorzichtig tilt ze de vochtige lap stof een stukje op. Een vreemde schittering glijdt over haar gezicht. Ze schrikt als ze het schilderij ziet. Het is alsof ze door een venster naar een bewegende zee kijkt. Ze strekt haar vingers ernaar uit. Ze verdwijnen in ijskoud water. 'Neeee!'

'Amélie?'

Het licht is nu vlakbij.

'Hebbes!' roept Hoveling.

Zijn handen graaien in het niets.

'Maar het schilderij hing toch in de keuken?' vroeg Bertus. Hij knikte naar Dorothée. 'En jij... eh u, bedoel ik, bent toch ook hier? En waarom kwam Hoveling niet meteen achter Amélie aan door het schilderij?'

'Dat is mijn deel van het verhaal,' zei Dorothée. 'En jullie mogen ons best bij onze voornaam noemen. Zoveel schelen we nou ook weer niet.'

'Een jaartje of honderd maar,' grapte Amélie. Ze raapte de gevallen twijgjes en takjes op. 'Zullen we eerst het fornuis aanmaken? Dan kunnen jullie eh... pyjama's drogen terwijl mijn zusje de rest van het verhaal vertelt. In die kletsnatte kleren vatten jullie nog kou!'

Daar zeiden wij geen nee tegen.

Ze opende een luikje in het fornuis en stopte er wat hout in. Met een lucifer stak ze het aan en algauw brandde er een behaaglijk vuurtje.

Wij gingen met uitgestrekte armen voor het fornuis zitten en Dorothée begon te vertellen. 'Hoveling begreep er niets van...'

Hoveling begrijpt er niets van. Geen snars. Geen klap. Geen sikkepit. Waar is Amélie opeens gebleven? Het ene moment hoort hij haar stem en het volgende is ze verdwenen. Hij staart naar het rechthoekige geval voor hem. Er hangt een vochtige doek overheen.

'Zeker een lekkage,' mompelt hij met een blik omhoog. Dan hoort hij iets achter zich. Hij draait zich om en zijn ogen schieten vuur. 'Jij!'

'Ja, ik,' zegt Dorothée kalm.

'Ben je ook op zoek naar je zuster? Of wist je misschien al dat ze hier zat?' Het klinkt venijnig.

'Wat bedoelt u, meneer Hoveling?'

'Precies wat ik zeg, Dorothée.'

'Ik weet van niets.'

'Nee, dat zal wel niet.' Hoveling kijkt om zich heen. 'Ze was hier. On-der mijn handen. En toen was ze weg. Zomaar.' Hij houdt de lamp vlak bij haar gezicht en fluistert: 'Er zijn twee mogelijkheden. Of jouw zus-ter is een heks, wat me niets zou verbazen, of ergens zit een geheim luik.' Schaduwen dansen over schuine wanden als hij zijn licht door de zolder laat dwalen. 'Moet ik alles overhoop halen, met het risico dat er erfstukken sneuvelen, of ga je mij nu braaf vertellen waar ze gebleven is?'

'Zelfs al zou ik het weten,' zegt Dorothée, 'dan nog vertelde ik het u niet!'

Hoveling knikt. Zonder nog iets te zeggen beent hij weg en verdwijnt met de lantaarn in het trapgat.

Dorothée blijft alleen in de duisternis achter.

'Amélie...' fluistert ze. 'Ben je daar?'

Geen antwoord. Alleen een zacht ruisen.

Dan klinkt er geklos op de trap. Als een wolk vuurvliegjes zwermen mannen met lantaarns de zolder op. Ze verspreiden zich en beginnen van alles en nog wat te verschuiven, op te tillen en om te gooien. Stof van tientallen jaren stuift op en aan het genies komt geen eind.

Opeens staat oom Anton voor haar. Met zijn zilverwitte haar, bakke-baarden en imposante snor lijkt hij wel een Duitse keizer. 'Verdwijn, Dorothée,' zegt hij onverbiddelijk. 'Jij hebt hier niets te zoeken!'

Dorothée slaat haar armen over elkaar. 'Het is mijn huis, oom.'

Hij wordt vuurrood en sist: 'Niet zolang ik je voogd ben, brutaal wicht!' Met een trillende vinger wijst hij naar het trapgat. 'Ga je, of moet ik je soms laten verwijderen door mijn knechten?'

Dorothée slaat haar ogen neer en loopt langzaam naar de trap.

Als ze de volgende ochtend terugkomt, zijn de mannen weg. De zolder ziet eruit alsof er een storm heeft huisgehouden. Maar ze hebben niets gevonden, geen spoor van Amélie.

Dorothée houdt een olielamp voor zich uit en dwaalt op goed geluk door de puinhopen die de mannen hebben achtergelaten. Als ze hele-maal achteraan op de zolder is, ziet ze midden in een grote plas water een rechthoekig voorwerp liggen. Is het de achterkant van een spiegel?

Behoedzaam tilt ze het ding op. De lap die eroverheen hing, valt eraf. Het is een schilderij, ziet ze. Een zeegezicht. Maar waarom is het zo nat? Ze houdt de lijst voorover om het water van het schilderij te laten lopen. Als een miniwaterval gutst het water over de planken vloer, er komt geen einde aan.

'Het lijkt wel of... of het *uit* het schilderij komt!'

Beduusd slaat Dorothée een hand voor haar mond. Ze houdt de lijst recht en de stroom stopt. Als betoverd staart ze een tijdje naar het wonderlijke tafereel. Dan valt haar oog op iets anders. In de waterplas ligt een verfrommeld wit lapje. Als ze het uitwringt, ziet ze dat het een kanten zakdoekje is. Rechts onderin is een fraaie letter geborduurd, een *A*. Het zakdoekje van Amélie!

'Ze is hier dus wel degelijk geweest,' mompelt Dorothée. 'Maar waar is ze dan gebleven?'

Ze kijkt weer naar het schilderij. De woeste golven en de donkere wolken. Hoe langer ze kijkt, hoe ruiger de zee lijkt te worden. Als vanzelf glijdt ze met de vingers van haar vrije hand over het zeegezicht. Ze verdwijnen even in het schilderij en komen weer tevoorschijn.

Het is echt zo, denkt ze. Het schilderij leeft! Ze kijkt van het zeegezicht naar het zakdoekje en weer terug. Een akelig vermoeden bekruipt haar, langzaam als een loerende tijger.

Zou Amélie... in het schilderij...?

Ze zet het schilderij tegen de wand en raapt de lap op die eroverheen hing. Het is een mantel, oud en halfvergaan. Even kijkt ze ernaar, dan gooit ze hem weer over het schilderij en rent naar beneden.

Een paar minuten later komt ze terug met een van de dienstertjes.

'Dit moet naar de keuken, Mina!' hijgt ze. 'Onmiddellijk!'

'Wat is het, mejuffer Dorothée?'

'Een schilderij.'

'In de keuken?' zegt het meisje met grote ogen. 'Wat motten wij daar nou mee?'

'Wegzetten achter een kast. Die mantel mag er niet af. Niemand mag het zien, vooral niet meneer Hoveling en mijn oom!'

'Maar die komen toch nooit in de keuken!' Mina giechelt. 'Stel je voor!'

'Precies,' zegt Dorothée. 'Daarom.'

Als het schilderij in de keuken staat, achter de provisiekast, kan de meid haar nieuwsgierigheid nauwelijks bedwingen. 'Mag ik heel even kijken, mejuffer? Een piepklein stukkie maar?'

'Nee, Mina, dat is gevaarlijk.'

'Gevaarlijk? Een schilderij?' Mina giechelt als een bakvis. 'Staan d'r soms van die bloterige dames op?'

Voordat Dorothée kan antwoorden, wordt er op de keukendeur gebonsd. 'Dorothée! Kom hier!' Het is oom Anton. 'De verloving gaat door!'

'Waaat?' roept Dorothée. 'Is Amélie dan gevonden?' Haar hart maakt een sprongetje, zowel van blijdschap als van vrees. Want nu moet haar zusje zich alsnog verloven met Hoveling.

'Nog niet, dat komt later wel. Jij doet alsof je Amélie bent, niemand merkt het verschil.'

'Maar dat is oplichterij!' roept Dorothée ontzet.

'Helemaal niet, het is handig. Hoeven we niet alles opnieuw te regelen, dat scheelt een hoop geld en gedoe. En gelukkig hebben de meeste gasten hier overnacht. Maak een beetje voort!'

'Ik werk er niet aan mee!'

'Hou je grote mond en doe wat ik je zeg!'

'Anders zal het je berouwen, Dorothée!' dreigt Hoveling.

'O, wat naar voor u,' stamelt Mina. 'Ik wou dat ik wat voor u kon doen.'

'Dat kun je.' Dorothée denkt snel na. 'Ga naar de gang en doe de keukendeur op slot. Zeg maar dat ik het je heb opgedragen. Begrepen?'

'Ik begrijp d'r helegaar niks meer van, mejuffer!' verzucht de meid.

'Hoeft ook niet.' Dorothée duwt het treuzelende dienstertje naar de keukendeur. 'Ga nu maar gauw. En bedankt, Mina!'

'Goed dan, mejuffer.' Mina pakt de grote sleutel van een haakje naast de deur. Ze doet hem open en vliegensvlug weer dicht.

Dorothée wacht tot ze de sleutel in het slot hoort omdraaien. Dan trekt ze het schilderij achter de kast vandaan en haalt de mantel eraf.

Aan de andere kant van de deur klinken stemmen. De opgewonden stemmen van oom Anton, Hoveling en Mina.

Er wordt boos op de deur gebonkt.

'Doe open!' buldert oom Anton.

'Hier die sleutel!' sist Hoveling.

'Neeeej!!' gilt Mina.

Dorothée kijkt naar het schilderij. Ze twijfelt. Wat moet ze doen?

Maar voordat ze iets kan beslissen, begint de zee te kolken en te bruisen als een overkokende pan soep. Water sproeit vanuit het schilderij over haar heen. Een zilte lucht vult de keuken. Dan scheert er een tornado over het water die over de rand van het schilderij suist.

'Dorothée!' brult oom Anton over het geweld van de storm heen. 'Wat gebeurt daar in 's hemelsnaam!'

'Laat los, kreng!' schreeuwt Hoveling.

'Mejuffer, help!' roept Mina. 'Meneer Hoveling heeft de sleutel afgepakt!'

Maar Dorothée hoort niets meer. Ze voelt hoe de wind haar met ijle handen optilt en haar meesleurt in een meedogenloze maalstroom. Met het fornuis, de tafel en de stoelen, het kleedje en de provisiekast draait ze in kringen door de keuken, alsof ze in de draaimolen zit. Haar hoofd suist, haar oren tuiten.

Dan verdwijnt de tornado in het zeegezicht als water in de afvoer van een bad.

In een oogwenk is de keuken verlaten.

VII

Het vreselijke onder de bomen

'Met spullen en al belandde ik in de boomtoppen,' ging Dorothée verder. 'En mijn zusje... nou ja, dat moet ze zelf maar vertellen.'
Bertus en ik keken verwachtingsvol naar Amélie, maar die zei niets. Ze zag opeens erg bleek.
'Amélie?' vroeg Dorothée bezorgd. 'Gaat het?'
Amélie leek haar niet te horen. 'Ik spoelde aan op het eiland,' zei ze toonloos, 'het eiland met het bos. Het was er stil, zo stil dat ik het bloed door mijn aderen hoorde suizen. Maar het was geen gewone stilte, het was alsof het bos de adem inhield. Alsof er iets... iets *vreselijks* loerde in het kreupelhout, klaar om toe te slaan. Ik durfde geen stap meer te verzetten, uit angst voor het vreselijke. Het vreselijke onder de bomen...'
Amélie zweeg.
'En toen?' vroeg Bertus.
In de stilte klonk zijn stem als een paukenslag.
'Toen begon ik te rennen,' zei Amélie gejaagd. 'Harder en harder. De takken zwiepten in mijn gezicht, maar ik durfde niet te stoppen. Soms keek ik snel om me heen. Er was niets te zien, toch wist ik dat het vreselijke achter mij aan zat. Ik rende en rende tot ik niet meer kon en toen zag ik een grote boom, de dikste in het bos. Zonder erbij na te denken klom ik erin, hoger en hoger, tot ik voelde dat ik niet meer achtervolgd werd.'
'En toen?' vroeg ik.
'Toen viel ik in slaap, uitgeput. Ik werd pas wakker door de tornado die Dorothée en alle keukenspullen naast me neer deed ploffen. Ik durfde niet meer naar beneden, daarom hebben we samen dit nest in elkaar gevlochten en de keuken ingericht.'
'Zo kwamen de "nuttige handwerken" die we van onze gouvernante hadden geleerd toch nog van pas,' zei Dorothée met een scheef glimlachje. 'Gelukkig zat er een grote zak bloem tussen de spullen, zodat we pannenkoeken konden bakken. Vlakbij groeit een kokospalm. We ge-

bruiken het sap om het beslag mee te maken. Zo kunnen we het nog een tijdje uitzingen.'

'Maar jullie willen hier toch niet de rest van je leven blijven zitten?' zei ik. 'Bertus en ik zijn op zoek naar oom Balthasar, waarom gaan jullie niet met ons mee? Samen staan we sterker.'

Bertus knikte enthousiast. 'Ja, da's een goed plan!'

'Ik wil wel,' zei Dorothée een beetje treurig. 'Graag zelfs. Maar ik kan mijn zusje niet in de steek laten. Ze durft niet naar beneden vanwege...'

'Het vreselijke...' fluisterde Amélie.

Bertus knikte. 'Onder de bomen.'

'Dan halen we jullie op als we oom Balthasar hebben gevonden,' besloot ik. Ik ging staan. 'We moeten weg.'

'Hoewaaaaah!' Bertus geeuwde als een hongerige leeuw.

'Jullie gaan eerst slapen,' zei Dorothée vastbesloten.

'Maar we hebben geen tijd te verliezen!' protesteerde ik.

'Eerst slapen,' herhaalde Dorothée.

'Maar...'

Een oorverdovend gesnurk legde mij het zwijgen op. Bertus was vertrokken naar dromenland.

Onder het bladerdak heerste een machtig zwijgen.

'Ik vind het hier griezelig!' fluisterde Bertus. Zijn ogen schoten alle kanten op. 'Het is doodstil, da's niet normaal voor een b-bos. Je moet toch op z'n minst vogels horen tsjilpen of zo?'

Kort nadat we wakker waren geworden, waren Bertus en ik op pad gegaan. Dorothée had een berg pannenkoeken voor ons gebakken, voor onderweg. Opgerolde pannenkoeken met suiker, stroop en jam. Ze had ze in een theedoek gewikkeld, die ik aan een tak over mijn schouder droeg. Bertus had een paar kokosnoten bij zich en een keukenmes om ze open te kappen, ook in een knapzak.

En nu stonden we midden in het bos.

Omdat het maar een klein eiland was, scheen er aan alle kanten licht door de bomen. Het wonderlijke glinsterlicht. Het wierp grillige schaduwen door het bos en soms meenden we vanuit onze ooghoeken een gestalte te zien. Maar als we nog eens goed keken, was er niemand.

'Maak je niet druk,' zei ik. 'Er is hier geen mens.'

Bertus knikte, al leek hij niet erg opgelucht. 'Ik heb eens zitten denken...'

'O? Waarover dan?'

'Hoeveel water zit er volgens jou in het zeegezicht?'

'Hoeveel water?' herhaalde ik verbaasd. 'Geen idee. Hoezo?'

'Nou, toen we in de kamer van oom Balthasar kwamen, hing het schilderij scheef. En het lekte.'

'Ja?' zei ik.

'En toen Dorothée het schilderij vond, lag het op z'n kop...'

'... En het water stroomde eruit,' vulde ik aan, zonder te begrijpen waar hij naartoe wilde.

'Precies. En nou vraag ik me af hoe lang dat water was blijven stromen als ze het niet recht had gezet.'

Ik dacht er even over na. 'Niet zo lang,' zei ik toen. 'Zoveel water zit er toch niet in een schilderij van dit formaat?'

'Van buitenaf gezien misschien niet,' zei Bertus, 'maar al dat water om ons heen dan?'

'Da's hooguit een badkuip vol, want volgens mij zijn wij kléíner geworden en daardoor líjkt alles veel groter. Dat moet wel, anders zouden wij en al die anderen toch nooit in deze lijst passen?'

Bertus schudde het hoofd. 'Volgens mij is het net andersom.'

'Net andersom?' zei ik verward. Ik was er nog steeds niet aan gewend dat mijn neef van die snuggere opmerkingen maakte.

'Wij zijn niet kleiner geworden,' legde Bertus uit, 'het zeegezicht is van binnen groter - véél groter - dan van buiten. Heel eenvoudig eigenlijk.'

'Noem dat maar eenvoudig!'

'Woehoehoehoe!!'

'Wat was dát?' Ik keek snel om me heen.

Bertus verstijfde. 'Wolven!'

'Wáár?'

'Hier...' klonk het zwakjes, een eindje verderop.

'Het zijn nog p-p-pratende wolven ook!' bibberde Bertus.

'Welnee,' zei ik. 'Die bestaan alleen in sprookjes.' Ik was blij dat er weer wat actie kwam en langzaam liep ik in de richting van het geluid. 'Hallo? Is daar iemand?'

'Natuurlijk is daar iemand!' zei Bertus angstig. 'De vraag is alleen wát voor iemand...'

'Ssst! Anders hoor ik niks!'

'Help!' klonk het nu iets harder.

Om ons heen was niets te zien.

'Misschien zit-ie ergens achter een boom?' fluisterde Bertus.

Ik schudde mijn hoofd. De meeste bomen waren zo smal dat geen mens zich erachter kon verstoppen. Ik keek omhoog. '*In* een boom?' Nee, daar kwam het geluid ook niet vandaan.

'Het lijkt wel...' begon Bertus, 'of het ergens van onder de grond komt! Het is vast een valkuil!'

Ik keek omlaag. Over de bodem slingerde een enorme woekerplant, die de bomen en alle andere planten in een wurggreep hield.

'Hier...' De gesmoorde stem klonk nu vlakbij.

Midden uit de woekerstruik schoot een arm omhoog.

Bertus gaf een gil en sprong achteruit. 'Hellup! Er groeien hier pratende handen! Het is een spookbos!' Er kwam nog een hand omhoog, die zijn enkel omklemde als een bankschroef. 'Lamegaan!' Maar hoe Bertus ook met zijn been trok, de hand liet hem niet los.

'Red ons...' verzuchtte de stem.

Opeens zag ik twee ogen, een neus en een mond, omkranst door slierten van de plant. Het was een man die op zijn rug lag en bijna helemaal overwoekerd was. Hij begon paars aan te lopen. Naast hem lag er nog een. 'Bertus, help me ze los te maken!' riep ik. 'Dadelijk stikken ze nog!' We deden ons best, maar het viel nog niet mee. De tentakels van de plant waren vasthoudend. Het leek wel of ze zich verzetten tegen onze pogingen de mannen te bevrijden.

'K-kijk!' zei Bertus.

Om beide omhoogstekende armen slingerde zich een groene spriet naar boven, die algauw zo dik werd als een kabel.

'Mes...' prevelde een van de mannen benauwd. 'In m'n... laars.'

Uit zijn linkerlaars haalde ik een vlijmscherp mes tevoorschijn, waarmee ik in één haal een stel sprieten tegelijk doorsneed. Er spoot een gifgroen sap uit en meteen schoten er nieuwe sprieten op. Hoe meer sprieten ik doorsneed, des te sneller de plant leek te groeien.

'Pak het keukenmes uit je knapzak!' zei ik tegen Bertus. 'Dit red ik nooit in m'n eentje!'

Bertus haalde het keukenmes tevoorschijn en met een blik vol afgrijzen begon hij de taaie tentakels door te snijden. 'Jakkes!' riep hij toen het groene sap in zijn gezicht spatte.

'Pas op dat je hem niet opensnijdt!' waarschuwde ik.

Even later hadden we de mannen bijna losgemaakt. Ze kwamen zo snel als ze konden overeind en gristen de messen uit onze handen. Met een paar kundige halen sneden ze de laatste stukken plant weg.

'Wegwezen, maatjes!' riepen ze met rauwe stem. 'Dat onkruid is betoverd! Niet omkijken, doorlopen! Anders ben je d'r geweest!'

We renden tot we ons hart in ons lijf voelden bonken.

Toen we bijna aan de rand van het bos waren, hoorde ik Bertus een eind achter mij roepen. 'Help!!'

De plant had hem laten struikelen. Tentakels zo dik als lianen schoten om zijn armen en benen en hij kon geen kant meer op.

'Bertus!' riep ik. 'We moeten hem redden!'

Een van de mannen draaide zich om. Hij was groot en bonkig en zijn gezicht was bijna helemaal bedekt met zwart haar. 'Veels te gevaarlijk. Je hebt gezien hoe snel dat onkruid groeit.'

'Maar wij hebben jullie toch ook gered?'

De man grijnsde. 'Nog bedankt daarvoor. Ajuus, maatje!' Hij liep met grote passen door tot hij weer bij de ander was, die een eindje verderop met zijn rug naar ons toe had staan wachten.

'Zijn jullie soms laf?' riep ik ze achterna. 'Dan ga ik wel alleen, stelletje schijterds!'

De twee leken ter plekke te bevriezen.

Toen kwamen ze als één man op me afgestormd. Ik zag nu dat de ander een rode baard had, maar verder leek hij veel op zijn metgezel. Het hadden broers kunnen zijn.

De man met de rode baard trok zijn mes - groter en scherper dan dat van zijn metgezel - en duwde het tegen mijn keel. De punt prikte onprettig in mijn vel.

'Kijk uit wat je zegt! Het zouden weleens je allerlaatste woorden kunnen zijn. Niemand noemt ons ongestraft een schijterd. Zeker niet een snotjong zoals jij. Begrepen?'

'Maar Bertus...' begon ik.

'Laat die maar aan ons over!'

De twee mannen renden het bos weer in, met hun messen op de kronkelende tentakels inhakkend alsof het slangenkoppen waren. Het sap spoot alle kanten uit en algauw zagen ze helemaal groen. Bertus ook. Ze maakten hem in een ommezien los en sleurden hem mee naar de waterkant, waar ze hem op het zand lieten vallen.

'Auw!' zei Bertus.

De man met de rode baard deed het mes weer terug in zijn laars. 'Ziezo,' zei hij, 'nu staan we gelijk.'

Bertus stak zijn rechterhand uit. 'Mag ik ons mes terug?'
'Vangen!' De zwartharige rover gooide het keukenmes naar hem toe en mijn neef stopte het in zijn knapzak.
Er klonk een luidruchtig gerommel.
Bertus maakte een sprongetje. 'Een aardbeving!'
'Da's m'n maag,' zei de man met de rode baard. Hij wreef over zijn buik. 'Sinds we onder die vervloekte plant terechtkwamen, hebben we niks meer gegeten en gedronken. Ik verrek van de trek.'
'Weet je wat?' zei de ander. 'In ruil voor een stel van die pannenkoeken en kokosnoten vertel ik jullie hoe wij hier zijn gekomen.'
'Hoe weet u dat wij...' begon ik.
'Da's ons vak,' zei de man bescheiden.
Bertus keek hem verbaasd aan. 'Jullie vak?' Hij keek naar hun kleren, de slappe hoeden en het mes in hun laars. 'Jullie... jullie zijn ro-ro-rovers!'
'Goed gezien, maatje. Wij zijn ro-ro-rovers!' De man met de zwarte baard boog en zwaaide zwierig met zijn hoed. 'Rapalje, om u te dienen!' Hij knikte naar de ander. 'En dit is mijn collega, de heer Kanaille.'
'Ik verrek van de honger!' gromde de heer Kanaille.
'Rustig aan,' zei Rapalje toen zijn collega naar zijn mes greep. 'Geef hem maar gauw een pannenkoek, maatjes!' Toen schraapte hij zijn keel. 'We hadden al de hele dag tevergeefs op buit lopen loeren. Gulden-stern, Kanaille en ik...'

VIII

Guldenstern & Co

Ze hebben al de hele dag tevergeefs op buit lopen loeren. Guldenstern, Kanaille en Rapalje.

Rapalje zucht. 'Het gaat niet te best met de zaken. Als we niet gauw iemand beroven, moeten we nog een baantje zoeken.'

'Een baantje?' briest Guldenstern. 'Je handen uit de mouwen steken om eerlijk aan de kost te komen?'

'Zoiets ja,' mompelt Rapalje in zijn baard. 'Alles beter dan verhongeren.'

Guldenstern maakt braakgeluiden. 'Ben jij nou een echte rover?'

'Echter dan jij in elk geval.'

'Waaaat!' Guldenstern springt bijna uit zijn vel.

'Rapalje heeft gelijk,' zegt Kanaille. 'Wij zien er tenminste uit als rovers. Jij niet. Je gezicht is gladgeschoren, je haar is netjes geknipt, en je trekt elke dag schone kleren aan.'

'Tsa!' Guldenstern grimlacht. 'Nee, dan jullie met je lange, vette haren! Jullie scheren je niet, lopen maandenlang in dezelfde kleren rond, met aangekoekte etensresten op je kraag en in je baard, en stinken de hele dag naar belegen koeienstront!' Hij haalt walgend zijn neus op en schampert: '*Echte* rovers die je van mijlenver kunt ruiken!'

'En wat is daar mis mee?' vraagt Kanaille op dreigende toon.

'Jullie vallen te veel op, dát is er mis mee. Slimme rovers hebben geen mes uit hun laars steken, geen slappe hoed op hun kop en geen woekerbaard. Slimme rovers zien eruit als gewone mensen!'

'Gewone mensen?' zegt Kanaille met een vies gezicht. 'Bah!' Hij spuugt FLATSJ een fluim op de grond.

'Toch is het zo,' houdt Guldenstern vol. 'En daarbij stampen jullie als olifanten. Hoe wil je zó ongemerkt een slachtoffer besluipen?'

'Maar we zijn toch niemand aan het besluipen?' zegt Rapalje. 'Er zijn helemaal geen slachtoffers in de buurt.'

Guldenstern rolt met zijn ogen. 'Die maken zich bijtijds uit de voeten, sukkel. Alleen de stadsomroeper maakt meer lawaai!'

Opeens klinkt het dichtslaan van een deur. Het geluid komt van ergens om de hoek, een eindje verderop in de kronkelige straat.

De drie rovers verstijven.

Ze horen stemmen. Opgewonden stemmen.

'Jij hebt scherpe oren,' fluistert Guldenstern tegen Kanaille. 'Met z'n hoevelen zijn ze?'

Kanaille luistert aandachtig. 'Het zijn er drie,' fluistert hij terug. 'Ze hebben iets groots bij zich. Iets zwaars. Het sleept over de grond.' Hij luistert opnieuw. 'En het klotst.'

'Het klotst?' Rapalje grinnikt. 'Een bak water voor hun paarden?'

'Moel!' sist Guldenstern. 'Straks horen ze ons nog!!'

'Misschien is het wel een kist vol geld,' zegt Rapalje met glimmende ogen.

Kanaille schudt beslist het hoofd. 'Geld klotst niet.'

'Een vat bier dan?'

De rovers kijken elkaar aan.

Opeens hebben ze dorst. Enorm ontzettende, vreselijk onlesbare dorst.

'Eropaf!' fluistert Guldenstern. 'Maar denk erom, onhoorbaar!'

Op hun tenen sluipen de rovers gauw gauw naar de bocht in de straat. Kanaille als eerste, dan Guldenstern, en Rapalje vormt de achterhoede. Maar het is moeilijk om op je tenen te sluipen als je zulke zware laarzen draagt, dus af en toe klinkt er toch een stap.

Kanaille blijft abrupt staan. De andere twee botsen tegen hem op.

'Wat is er?' fluistert Guldenstern.

'Ze scheuren.' Kanaille houdt zijn hoofd schuin om beter te horen. 'Papier. Ze scheuren het aan flarden.'

'Papier?' zegt Rapalje. 'Wat nou papier?'

Guldenstern gebaart hem te zwijgen. 'Wat hoor je nog meer, Kanaille?'

'Gespetter.'

Guldenstern hapt naar adem. 'Dan hebben ze het zegel verbroken!' hijgt hij. 'Het zegel van de ton. Ze gaan het bier drinken!'

'Straks is alles op!' zegt Rapalje.

De rovers struikelen over elkaars voeten, zo'n haast hebben ze om de bocht om te gaan. Hun stappen weerkaatsen hol tegen de huizen. Kanaille zet als eerste zijn voet om de hoek neer.

'Eén twee drie... in godsnaam!' klinkt een stem van dichtbij.

Dan horen ze een plons.

'Wacht op ons!!'

Nóg twee plonzen.

'Ze springen erin!' roept Kanaille. 'In het bier. Met z'n drieën!'

'Stelletje smeerlappen!' Guldenstern duwt hem opzij en stormt de hoek om, op de voet gevolgd door Kanaille en Rapalje.

Tegen een blinde muur staat een groot schilderij. Eromheen liggen flarden papier, twee geweren, twee soldatenhoofddeksels en twee ransels. En een grote plas water. Vlak voor het schilderij zijn duidelijk sporen te zien. Afdrukken van zware laarzen.

'Soldaten,' zegt Kanaille. 'Het waren soldaten!'

Rapalje kijkt om zich heen. 'Waar zijn ze nu dan? In rook opgegaan? En waar is die bierton, hebben ze die soms meegenomen?'

'Er is helemaal geen bierton!' gromt Guldenstern. 'Nooit geweest ook. Tis een hinderlaag!' Hij trekt hen op de grond. 'Zoek dekking! Blijf zitten waar je zit en verroer je niet!'

'Ik tel tot tien...' zingt Rapalje, 'wie niet weg is...'

'Moel!' sissen Guldenstern en Kanaille.

Rapalje zwijgt en de drie rovers blijven doodstil liggen.

Na een hele tijd richt Guldenstern zijn hoofd op. 'Kanaille,' fluistert hij. 'Hoor je iets? Zijn ze nog in de buurt?'

Kanaille schudt zijn hoofd. 'Er is niemand. Alleen...'

'Alleen wat?' zegt Guldenstern.

'Ik hoor nog steeds dat rare geklots...'

Voorzichtig staan ze op en strekken hun stram geworden ledematen.

Guldenstern werpt een blik op het schilderij. 'Ik heb geen verstand van kunst,' mompelt hij, 'maar dit is vakwerk. Het is net alsof...'

'Dat water!' zegt Rapalje. 'Het beweegt!'

Kanaille knikt verbijsterd. 'Dat geklots komt van die golven!' Hij wijst op de laarsafdrukken. 'Nou weet ik waar die soldaten zijn gebleven... Ze zijn erin gesprongen.'

'Waarin?' vraagt Guldenstern.

'In het schilderij,' zegt Kanaille. 'Geloof je het niet?' Hij steekt zijn arm uit naar het zeegezicht. Verder, steeds verder, tot zijn hand erin verdwijnt. Haastig trekt hij hem weer terug. Zijn hand is kleddernat.

'Grote goden!' roept Guldenstern. 'Dit is tovenarij!'

'Alsjeblieft, laten we hier weggaan,' prevelt Rapalje angstig. 'N-nu het nog k-kan...'

Guldenstern gooit snel zijn mantel over het schilderij. 'Anders worden we nog krankzinnig.' Peinzend wrijft hij langs zijn puntige kin. 'Hm, misschien kunnen we hier wat centen mee verdienen. Wat zeg ik? Een heleboel centen. Als we het slim aanpakken tenminste...'

'Maar dat ding is betoverd!' sputtert Rapalje.

'Centen?' Kanaille kijkt naar het bedekte schilderij en dan naar Guldenstern. Zijn hebzucht wint het van zijn angst. 'Heb je een plan?'

'Een *waterdicht* plan, ha ha! Pakken jullie dat schilderij op en neem die geweren ook maar mee, dan gaan we als de wiedeweerga aan de slag. De avondstond heeft goud in de mond!'

'Nou, ik raak dat d-ding voor geen g-goud aan!' hakkelt Rapalje.

'Maar als je het nu voor goud kunt verkópen...' zegt Guldenstern. 'Voor heel veel goud...'

Rapalje maakt afwerende gebaren. 'D-durf ik niet, mij te link. Straks vallen we erin en komen we d'r nooit meer uit!'

'Ook goed, angsthaas, dan nemen Kanaille en ik het wel mee. Verdelen we de opbrengst tussen ons tweeën.'

Rapalje denkt hier even over na. 'Wacht! Ik doe mee!' zegt hij dan haastig. 'Wat is het plan?'

Guldenstern wenkt hen naderbij. 'Luister...'

Ze steken de koppen bij elkaar.

'We verkopen dat schilderij aan een goedgelovige sul,' fluistert Guldenstern. 'Voor niet al te veel geld, zodat-ie denkt dat-ie een koopje heeft en snel z'n beurs trekt...'

'Wat heb dat nou voor nut?' bromt Kanaille. 'We moeten juist zoveel mogelijk vragen! Je kunt het maar één keer verkopen.'

Guldenstern heft een hand op. 'Laat me uitpraten, man. Als we het geld hebben ontvangen, het liefst op een afgelegen plek, duwen we die pief het schilderij in. Geen haan die ernaar kraait.'

'En dan?' vraagt Rapalje.

'Op naar de volgende sukkel. En zo gaan we door tot we een fortuin hebben vergaard. Snappie? Zo'n levensecht schilderij wil iedereen hebben. Maar ze weten pas hóé levensecht als het te laat is!'

'Maar stel nou hè...' begint Rapalje. 'Stel nou dat ze er weer uit kunnen. Uit dat schilderij. Wat dan?'

Guldenstern grijnst griezelig. 'Kijk eens naar die klotsende golven, jongen. En nergens vasteland te bekennen.' Hij schudt zijn hoofd. 'Nee, die komen er van z'n levensdagen niet meer uit...'

'Eigenlijk vind ik dat wel een beetje naar,' mompelt Rapalje.

'Een beetje naar?' Guldensterns mond valt open. 'Watje!' blaft hij. 'Wij zijn róvers! En rovers hebben medelijden met niks en niemand. Die zouden hun eigen moedertje nog d'r spaarcentjes ontfutselen, zonder er een traan om te laten. Pak dat schilderij!'

'Waarom zijn die soldaten erin gesprongen?' vraagt Kanaille, terwijl hij het zeegezicht optilt.

'Omdat ze het warm hadden, nou goed?' Guldenstern rolt met zijn ogen. 'Omdat ze ons aan hoorden komen natuurlijk! En hou dat ding nou es recht, man. Je lekt. Straks stroomt al het water eruit.'

Zwijgend sjokken de rovers door de stad met het vreemde schilderij. Onderweg komen ze niemand tegen. Fatsoenlijke mensen zitten op dit uur aan tafel en de rest hangt in de kroeg.

Na een tijdje vraagt Rapalje: 'Waar gaan we eigenlijk naartoe?'

'Hoezo,' zegt Guldenstern, 'wordt het je te zwaar?'

'Nee, da's het gekke. Je voelt er niks van dat die soldaten erin zitten. Het weegt net zoveel als een gewoon schilderij, denk ik. Ik was alleen maar benieuwd wat we gingen doen.'

'We gaan naar Het Eerlijk Zeemansgraf.'

Rapalje en Kanaille blijven staan.

'Maar... da's die kroeg waar alle zeelui komen,' zegt Rapalje.

'Nou en?' zegt Guldenstern zonder op of om te kijken.

Kanaille schudt zijn hoofd. 'Da's vragen om moeilijkheden, Guldenstern. Als die zeelui straalbezopen zijn, willen ze knokken. En als ze in die tent zitten, zíjn ze straal. Wat zeg ik? Ladderzat. En wij zijn maar met z'n drieën. Dat overleven we nooit!'

'Bovendien is het daar veel te druk,' zegt Rapalje. 'Midden in de kroeg kun je toch niet zomaar iemand in een schilderij duwen? Dat valt op.'

Guldenstern draait zich om. 'Wie niet sterk is, moet slim zijn. Laat het denkwerk nou maar aan mij over, hè. En rechthouwe dat ding!'

Het is afgeladen vol in Het Eerlijk Zeemansgraf. Tabaksrook walmt donker boven de gasten en hun geroezemoes wordt vermengd met dronkenmansgelal, droef gezang en de treurige tonen van een trekzak. Fluimen belanden net naast de kwispedoor, bierpullen klinken en klatsen tegen elkaar en vallen aan diggelen op de met zand bestrooide planken vloer. Het ruikt er naar tabak, verschaald bier en zeemanszweet.

Als de deur achter de rovers dichtvalt, is het plotseling doodstil.

Alle ogen zijn op hen gericht.

En op de achterkant van het schilderij.

'Kijk kijk,' klinkt het spottend. 'Daar hebben we rovertjes, dat ruik je zo!'

Guldenstern werpt een bozige blik op zijn metgezellen.

'En ze hebben wat voor ons meegenomen ook!'

Aan bijna alle gasten ontbreekt wel een lichaamsdeel, maar de reusachtige kerel met de grijze baard die zojuist heeft gesproken, spant de kroon. Hij draagt een zwart ooglapje over zijn linkeroog, aan zijn linkerarm zit een haak in plaats van een hand en zijn linkerbeen is een houten tafelpoot die uitloopt in een scherpe metalen punt. Op zijn schouder zit een bontgekleurde papegaai.

De kerel heft grijnzend een kroes overbloezend bier naar de rovers.

'Himmeldonnerwetter!' krijst de vogel.

De man knikt ernaar. 'Tis een Duitse. Fritz heet-ie.'

De andere zeelui, die allemaal om hem heen zitten, balken van het lachen.

Guldenstern lijkt opeens verlegen. Met neergeslagen ogen mompelt hij: 'We zijn geen rovers, heer...'

'Tinus, Manke Tinus!' buldert de 'heer' in kwestie.

'... heer Tinus. Wij zijn marskramers.'

'Marskramers?!' Manke Tinus knalt zijn kroes met zo'n dreun op tafel dat het aardewerk breekt. 'Ik heb betere smoezen gehoord.' Krakend gaat hij rechtop zitten. 'Vooruit dan, laat maar eens zien wat jullie in je *mars* hebben. Ha ha! Veel soeps zal het wel niet zijn!'

Op een teken van Guldenstern draaien Rapalje en Kanaille het schilderij om, zodat de voorkant naar de zeelui is gekeerd.

Guldenstern vermant zich. Hij glimlacht en op de toon van een circusdirecteur galmt hij: 'Hooggeëerd publiek, zijt ge gereed voor de onthulling? Pas op, het kán gevaarlijk zijn!'

'Pha! Ik ben nergens bang voor,' snoeft Manke Tinus. 'Hoe gevaarlijker, hoe beter!'

Om hem heen stijgt instemmend gemompel op.

'Dus ge zijt gereed?'

'Ja ja, we zijn gereed. Schiet nou maar op,' klinkt het ongeduldig. 'Onthullen die handel!'

'Himmeldonnerwetter!' krijst Fritz.

Guldenstern kijkt de zeelui een voor een aan. 'Goed dan, mijne heren, ge zijt gewaarschuwd.' En hij knikt naar Kanaille, die rechts van het schilderij staat opgesteld.

Zoals ze van tevoren hebben afgesproken, laat Kanaille slechts een klein stukje van het zeegezicht zien.

Even is het stiller dan stil.

Maar dan is het 'Ooooooh!' en 'Aaaaaaah!' niet van de lucht.

En Kanaille laat de mantel weer vallen.

Een golf van teleurstelling spoelt door de kroeg.

'Meer, we willen meer zien!' klinkt het uit tientallen kelen. 'We willen álles zien! En langer, veeeeeeeeeel langer!!'

'Het spijt me, heren,' zegt Guldenstern met een buiginkje, 'maar daar kunnen wij niet aan beginnen. Slechts geïnteresseerde partijen mogen het hele schilderij bewonderen.'

De zeelieden kijken elkaar fronsend aan.

'Geïnteresseerde partijen?' wordt er gemompeld. 'Waar hééft die rare kwibus het over?'

Dwars door het geroezemoes klinkt een stem als een misthoorn. 'Ik wil dat schilderij hebben! Dondert niet wat het kost!'

Het is Manke Tinus. Er ligt een hongerige blik in zijn ogen.

'Uit de weg, jullie!' Hij duwt iedereen opzij, tot hij vlak voor de rovers staat. Met zijn haak wijst hij naar het schilderij. 'Hoeveel?'

Guldenstern kijkt naar de haak en zijn ogen worden groot. Het ding is van zuiver goud. Hij vergeet zijn plan om weinig voor het schilderij te vragen en zegt: 'Het is een bijzonder, ik mag wel zeggen een héél bijzonder schilderij... En daarbij hoort een bijzondere prijs.'

Manke Tinus knikt ongeduldig. 'Zeg maar wat je hebben moet, rovertje. Goud, zilver, diamanten, juwelen... Ik heb jarenlang de zeven zeeën bevaren en thuis heb ik kisten vol van dat spul.'

Nieuwsgierige zeelieden zijn intussen om hen heen komen staan en dringen zich steeds verder naar voren.

'Misschien kunnen wij dit elders bespreken?' zegt Guldenstern aarzelend. 'Onder vier... eh acht ogen, bedoel ik?'

Manke Tinus knikt naar de zeelui. 'Jongens, pak dat schilderij effe op. Gaan we naar mijn huis.' Tegen de rovers zegt hij: 'Kunnen jullie gelijk uitzoeken wat je ervoor hebben wilt.'

Maar voordat de zeelieden iets kunnen doen, zegt Guldenstern: 'Mijn mannen dragen het schilderij, en niemand anders.'

Kanaille en Rapalje, die de hele tijd hebben gezwegen, kijken elkaar een beetje verwonderd aan.

'Ja, hoor es...' begint Kanaille.

Guldenstern legt hem met een dreigende blik het zwijgen op.

Zuchtend pakken Kanaille en Rapalje het zeegezicht weer op en dragen het de kroeg uit.

Het is nog een hele tocht naar het huis van Manke Tinus, dat een eind buiten de stad op een heuvel blijkt te liggen. De avond is gevallen als ze er eindelijk zijn. Het is een enorm gebouw, met torentjes, trapgevels en balkons, en het wemelt van de vensters.

Manke Tinus bonkt op de deur en brult z'n longen uit z'n lijf, maar er wordt niet opengedaan. 'M'n knecht is stokdoof,' legt hij uit. 'Ze hebben ooit vlak bij z'n oren een groot kanon afgeschoten.' Dan haalt hij een grote sleutel tevoorschijn waarmee hij de deur openmaakt.

Ze komen binnen in een grote hal, met in het midden een brede trap waar geen einde aan lijkt te komen.

Vooral als je een schilderij moet meezeulen.

Kanaille en Rapalje laten een spoor van water achter op de traploper, want het lukt ze niet het zeegezicht de hele tijd recht te houden.

Gelukkig merkt Manke Tinus daar niets van, want hij loopt voorop - POK POK, POK POK - met zijn houten poot. In zijn hand houdt hij een lantaarn, die hij net heeft aangestoken.

Ze gaan helemaal naar boven, naar de zolder.

Het is er duister. Het lichtje van de lantaarn zweeft door de lucht. Ergens achterin blijft het hangen.

'Zet hier maar neer,' zegt Manke Tinus.

'Let op dat het niet scheef komt te staan!' waarschuwt Guldenstern.

Opgelucht zetten Kanaille en Rapalje hun inmiddels zware last tegen een rechte wand.

'Mooi zo,' mompelt Manke Tinus tevreden. 'Laat me dat schilderij nou eens goed bekijken...' Hij neemt plaats op een krukje dat klaaglijk kraakt onder zijn enorme gewicht.

'Is het daar niet wat te eh donker voor, hier?' vraagt Rapalje.

Zonder iets te zeggen, trekt Manke Tinus met zijn gouden haak de mantel van het zeegezicht.

Het volgende moment wordt zijn gezicht beschenen door een zilveren gloed, alsof hij in spiegelend water tuurt. Zijn ene oog zuigt zich vast aan het tafereel en het is of er nog slechts een lege huls op het krukje zit. Alsof de zeeman al in het schilderij verdwenen is.

Zelfs de papegaai houdt z'n snavel.

Na een tijdje beginnen de rovers onrustig heen en weer te schuifelen.

'Ahem,' begint Guldenstern. 'Ik neem aan dat u geïnteresseerd bent?'

'Hûh, wah?' Manke Tinus rukt zich met moeite los van het schilderij. Hij lijkt de rovers helemaal vergeten te zijn. 'O ja,' zegt hij dan, 'jullie willen natuurlijk je beloning.'

Guldenstern maakt een beleefde buiging. 'Als dat zou kunnen...'

Manke Tinus zucht en staat met tegenzin op. 'Kom maar mee.'

Het lichtje zweeft weer door de zolder.

Met het vlammetje van de lantaarn steekt Manke Tinus een grotere lamp aan, die ergens aan de zoldering bungelt. Plotseling baadt de zolder in het licht. De drie rovers knipperen met hun ogen.

Als ze aan het licht gewend zijn, zien ze dat overal om hen heen kisten staan. Grote kisten, kleine kisten; eenvoudige, maar ook sierlijk bewerkte kisten, ingelegd met edelstenen, en vergulde kisten. Kriskras door elkaar en opgestapeld tot wankele torens.

Manke Tinus trekt met zijn haak hier en daar achteloos een kist open. 'Zoek maar wat moois uit,' bromt hij.

De rovers geloven hun ogen niet. De kisten puilen uit van de juwelen, gouden en zilveren voorwerpen, edelstenen in alle soorten en maten. Knoeperds van smaragden, robijnen, diamanten en saffieren vangen het licht en weerkaatsen het oogverblindend naar de rovers. De rijkdom flonkert hun tegemoet.

'Himmeldonnerwetter!' krijst Fritz.

'Hoe- hoeveel mogen we meenemen?' hakkelt Kanaille.

'Zoveel als jullie dragen kunnen, rovertjes.'

'We zijn geen ro...' begint Rapalje. 'Zoveel als we d-dragen kunnen?' zegt hij dan, overdonderd. 'Hebt u misschien een euh lege kist voor ons? Dat sjouwt wat makkelijker.'

Manke Tinus grijnst. 'Lége kisten heb ik niet. Ze zijn allemaal tot aan de rand gevuld. Ik zei al, zoveel als jullie drágen kunnen...' Hij draait zich om en hink-stapt terug naar het schilderij.

Kanaille en Rapalje beginnen zich meteen te behangen met parelkettingen - drie, vier, wel vijf over elkaar heen. Ze schuiven ritsen ringen met diamanten aan hun vingers en armbanden van het zuiverste goud om hun polsen. Hun zakken, laarzen en hemden proppen ze vol met edelstenen en goudstukken. Ze proesten het uit en trekken gekke bekken naar elkaar, als twee kinderen die lol hebben met een verkleedkist. Kanaille omgordt een zilveren zwaard, ingelegd met robijnen. Rapalje zet een gouden kroon scheef op zijn hoofd en maakt een huppeldansje. 'Ik ben de kohoooning,' zingt hij vals. 'Een kohooning zonder wohooning, maar gouhoud is mijn bekrohooning!' Hij haakt zijn arm in die van Kanaille en samen hupsen en hopsen de rovers tussen de schatten van Manke Tinus.

Guldenstern staart broeierig naar deze vertoning.

'Kom op,' zegt Kanaille. 'Waar blijf je nou, joh?'

'Ja,' zegt Rapalje. 'Graai wat je graaien kunt, Guldenstern, straks bedenkt-ie zich nog!'

'Zijn jullie nou rovers?' schampert Guldenstern. Hij praat zacht, zodat Manke Tinus het niet zal horen, maar de woede spat van zijn woorden. 'Blij met een vinger terwijl je de hele hand kunt krijgen?'

Kanaille en Rapalje blijven beteuterd staan.

'Wat bedoel je?' vraagt Rapalje.

Guldenstern gebaart naar de uitpuilende schatkisten. 'Willen jullie niet veel liever álles meenemen?'

Beide rovers knikken.

'Goed,' fluistert Guldenstern, 'dan voeren we ons oude plan uit. Manke Tinus gaat helemaal op in dat schilderij. Hij zal er niks van merken als wij op hem toe sluipen. We grijpen 'm beet en - hopla! - voor hij het weet, ligt-ie erin. En dan zijn al deze schatten voor ons alleen!'

'Dat had je gedacht!!'

Levensgroot staat Manke Tinus plotsklaps voor hun neus.

'Ik vermoedde al dat ik jullie niet kon vertrouwen,' gromt hij. 'Maar nu weet ik het zeker!' Hij grijpt Guldenstern bij zijn kladden en tilt hem een meter de lucht in. 'Wat is er met dat schilderij aan de hand, rovertje?!'

Guldensterns benen bungelen hulpeloos in de lucht. 'Het is behekst,' piept hij benauwd. 'Je kunt erin...'

'Maar kun je er ook weer uit?' vraagt Manke Tinus.

Guldenstern zwijgt.

Manke Tinus schudt de rover door elkaar tot deze groen ziet van ellende. 'Geef antwoord!!'

'Weet ik n-niet! Ik heb het niet geprobeerd...'

'Dan wordt dat hoog tijd.' Manke Tinus grijnst naar Kanaille en Rapalje. 'Jullie willen vast wel meewerken, mm?'

Zonder op antwoord te wachten, grijpt hij ook de twee andere rovers in de kraag. Moeiteloos sleept hij het drietal rinkelend over de grond naar het schilderij, dat griezelig glinstert in het duister.

'Weet je wat? Jullie mogen alles houden wat jullie hebben, als dank voor jullie medewerking. Ik heb toch meer dan genoeg.'

Een voor een gooit hij ze het schilderij in. Elke keer klinkt er een doffe plons en spoelt er een golf zeewater over hem heen.

Guldenstern bewaart hij voor het laatst. Met een geweldige zwieper smijt Manke Tinus de ongelukkige rover weg. Dan gooit hij de mantel over het zeegezicht. 'Opgeruimd staat netjes!'

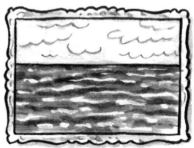

'Himmeldonnerwetter!' krijst Fritz.

IX

Flessenpost

'Maar waar is Guldenstern dan gebleven?' vroeg Bertus toen het verhaal van de drie rovers eindelijk afgelopen was. Hij had kramp gekregen van de lange zit en rekte zich uit.
'We dreven midden op zee,' smakte Kanaille met volle mond, 'en door
al dat goud enzo waren we veels te zwaar. We gingen telkens kopje-on-
der. Toen hebben we de hele handel maar weg gemikt.'
Rapalje keek treurig. 'Het zakie zonk als een baksteen.'
'Guldenstern was stinknijdig toen-ie erachter kwam,' vervolgde Kanaille. 'We kregen een knallende ruzie en toen is-ie de andere kant op
gezwommen. Z'n ondergang tegemoet, als je het mij vraagt.'
'Een tijdje later zagen we het eiland,' zei Rapalje. 'Liever gezegd, we ró-
ken het. De geur van versgebakken pannenkoeken. Hmmm! Het
kwam van ergens hoog in de bomen. Maar toen we naar boven wilden
klimmen, nam dat verdraaide onkruid ons te grazen.'
'Hoe lang zitten jullie dan in het schilderij?' vroeg ik.
Rapalje keek naar zijn kornuit. 'Kweenie, paar dagen?'
Kanaille knikte. Een stuk opgerolde pannenkoek bungelde uit zijn
mond als een half opgegeten slang.
'Een paar dagen?!' riep ik uit. 'Maar...'
Rapalje begon te watertanden. 'Jongens, wat heb ik een honger. En van
al dat gepraat heb ik een kurkdroge strot gekregen!' Hij slurpte van de
kokosmelk en propte twee pannenkoeken tegelijk in zijn mond.
Kanaille volgde nogmaals zijn voorbeeld.
Bertus trok mij mee. We liepen een stukje bij de rovers vandaan.
'Hoe kunnen ze nou denken dat ze er maar een paar dagen zijn?' fluis-
terde ik. 'Ze zitten hier al twee eeuwen!!'
'De tijd loopt hier raar,' zei Bertus. 'De majoor dacht toch ook dat-ie
pas een paar maanden in het zeegezicht zat?'
'Maar zelfs als ze hier een paar dagen zitten, moeten ze toch ergens
eten en drinken vandaan hebben gehaald?'

Mijn neef knikte langzaam. 'Dat is inderdaad vreemd.' Hij was even stil en toen fluisterde hij: 'Dat huis hè? Dat huis van Manke Tinus... zou dat hetzelfde zijn als dat van...'

'... Dorothée en Amélie?' vulde ik aan.

Er verscheen een diepe denkrimpel in Bertus' voorhoofd. 'Maar dan zou het schilderij daar ruim een eeuw op de zolder hebben gestaan, zonder dat iemand ervan wist...'

'Nou ja, kon er tenminste niemand in verdwijnen.'

'Da's ook weer zo,' zei Bertus.

'Misschien zijn Dorothée en Amélie wel verre familie van Manke Tinus. Is het hun overgrootvader of zo... Als we ze weer zien, moeten we hun vragen of ze een piraat in de familie hebben.'

'Wat zou er met hem zijn gebeurd?' zei Bertus.

'Met Manke Tinus?'

'Ja, zou hij ook in het schilderij zijn verdwenen?'

'Geen idee, maar het zeegezicht is vast niet in dat huis gebleven. Anders had oom Balthasar het nooit in handen gekregen. Die oom Anton zal er wel iets mee gedaan hebben. Misschien heeft-ie het wel verkocht.'

Bertus zei niets. Ik zag aan zijn gezicht dat er van alles door zijn hoofd spookte. Hij werd nog een geleerde als het zo doorging. En dat allemaal door dit vreemde schilderij!

'Waar denk je aan?' vroeg ik na een tijdje.

'Weet je nog van die schat?' begon hij. 'De schat die wij zogenaamd opgroeven in onze tuin?'

'Ja, hoezo?'

'Jij zei toen toch dat die van een piratenkapitein was?'

Bertus keek mij zo indringend aan dat ik er de zenuwen van kreeg. Toen voelde ik een schok door me heen gaan. 'Manke Tinus...' fluisterde ik. 'Hij heette Manke Tinus! Maar dat had ik verzonnen...'

'Hee!' riep Kanaille. 'Wat staan jullie daar stiekem te smoezen?' Met lange benen kwam hij naar ons toe gelopen, zijn hand op het mes. 'Vertel op, waar hadden jullie het over?'

'N-niks,' zei ik. 'We hadden het nergens over. We wachten tot jullie klaar zijn om te vertrekken...'

'Hm,' klonk het argwanend. 'We gaan zo dadelijk.' Hij knikte naar een vlot dat aan het water lag.

Bertus gaf me een harde por in mijn ribben en wees naar het roversvaartuig. 'Kijk!'

Aan de kale kokospalm die als mast diende, hingen aan elkaar geknoopte kleren. Twee broeken met een gouden biesje en twee jasjes
met koperen knopen.

'Maar dat... dat zijn uniformen...' mompelde ik. 'Zou dat het vlot van
Van Gendt en Loos zijn?'

'Die schurken!' siste Bertus. 'Ze hebben natuurlijk het vlot ingepikt en
de soldaten overboord gekieperd!'

'Ho ho,' zei ik. 'We weten toch niet zeker dat dat het vlot van Van
Gendt en Loos is? Bovendien kan het best zo zijn dat het al verlaten
was toen de rovers het vonden. Laten we er maar niks over zeggen,
straks trekken ze nog hun mes.'

Bertus keek broeierig voor zich uit.

We dobberden zwijgend op zee.

Op Rapaljes verzoek had ik verteld hoe Bertus en ik hier verzeild waren geraakt. Ik had er niet bij gezegd dat we uit de eenentwintigste
eeuw kwamen, want de rovers hadden ons vast niet geloofd. Ook had
ik gezwegen over de majoor en zijn soldaten. Wel had ik verteld dat wij
op zoek waren naar oom Balthasar.

'Dus die oom van jullie weet hoe we hieruit kunnen komen?' had Kanaille gevraagd.

Ik had mijn schouders opgehaald. 'Ik hoop het.'

'Maar hoe vinden wij hem dan, huh?'

Daarop moest ik het antwoord schuldig blijven.

Bertus had geen woord meer gezegd sinds we op het vlot zaten. Hij
zweeg zo hardnekkig dat ten slotte iedereen z'n mond hield. Af en toe
wierp hij boze blikken naar de rovers. Dan keek hij weer naar de uniformen, die als wasgoed wapperden in de straffe wind.

'Vriend,' zei Kanaille na een hele tijd tegen Bertus, 'heb je nog zo'n ko-
kosnoot voor me?'

'Ik ben je vriend niet!' zei Bertus opeens fel.

'O, en waarom niet?'

'Jullie hebben dit vlot gepikt!'

Kanaille haalde zijn schouders op. 'Nou en?'

'Da's niet eerlijk! Je mág niet van andere mensen stelen!'

De rovers keken elkaar aan.

Ik was bang dat Kanaille zijn mes zou trekken, maar hij barstte in lachen uit.

'Niet eerlijk!' hikte hij. 'Da's een goeie!'

Rapalje veegde de tranen uit zijn ogen. 'Van wie moeten we dán stelen, maatje? Van onszelf soms? Ha ha!'

Opeens was Kanaille weer ernstig. 'Wacht es... Hoe weten jullie eigenlijk dat we dit vlot gestolen hebben?'

Toen vertelde ik maar over de majoor en Van Gendt en Loos die hun uniformen als zeil aan de mast van het vlot hadden vastgemaakt.

'Ja, we hebben inderdaad hun vlot geënterd,' zei Kanaille, 'anders waren we verzopen. En dankzij hun voorraad kokosnoten konden we het uitzingen tot we bij dat boseiland kwamen.'

'Zeg...' begon Rapalje. 'Die lui zeiden dat het schilderij dat ze moesten ophalen door een of andere dwerg is gemaakt. Klopt dat?'

Ik knikte. 'Ja, dat heeft de majoor ons ook verteld.'

Kanaille gromde. 'Als ik dat onderkruipsel ooit in m'n klauwen krijg, maakt-ie kennis met m'n mes! Zonder hem en z'n toverkunsten zouden wij hier nou niet zitten!'

'En wat hebben jullie met Van Gendt en Loos gedaan, hè?' Bertus werd steeds kwaaier. 'Hebben die je mes ook leren kennen?'

'Nee,' zei Kanaille. 'Ik wilde ze alleen maar overboord gooien. Maar dat kon m'n collega niet over z'n hart verkrijgen, dus hebben we ze afgezet op het eerste eilandje dat we tegenkwamen.'

'Ze konden d'r net met z'n tweeën op,' voegde Rapalje eraan toe. 'Bij laag tij tenminste.'

Ik hield mijn hart vast voor wat Bertus zou gaan zeggen, toen Rapalje opeens een kreet slaakte.

'Hé, kijk nou es!' De rover graaide met zijn hand in het water en haalde iets tevoorschijn.

Een fles.

Een donkergroene fles met een kurk.

Kanailles ogen lichtten op. 'Zit er jajem in?' vroeg hij. 'Die kokosmelk ben ik zo langzamerhand spuugzat.'

Rapalje hield de fles tegen het licht. 'Nee, tis wat anders. Een stuk opgerold papier, geloof ik.'

'Papier?' Kanaille maakte een wegwerpgebaar. 'Gooi maar weer terug,' zei hij, op een toon alsof Rapalje een sprotje had gevangen in plaats van een kabeljauw. 'Hebben we niks an.'

'Wacht even!' riep ik. 'Misschien staat er wat op.' Ik griste de fles uit Rapaljes hand en haalde het papier eruit. Er zat een hoop zand in. Ik rolde het papier uit en streek het glad.

Rapalje keek mij verwonderd aan. 'Kun jij lezen?'

'Natuurlijk kan ik lezen.'

'Nou, wij niet hoor,' zei Rapalje.

Kanaille loerde over mijn schouder mee. 'Lees voor dan!'

Het was een afgescheurd stuk perkament, waarop met rode inkt in een haastige hand iets was neergekrabbeld. Het duurde even voordat ik zag wat er stond, de inkt was hier en daar uitgelopen.

'Dwergen? Dansen? Dwazen?' zei Kanaille. 'Die is niet goed snik.'

Rapalje knikte. 'Zeker een zonnesteek opgelopen.'

'Een zonnesteek?' Kanaille tikte tegen zijn voorhoofd. 'Hier? Laat je eigen nakijken, man!'

'De dwerg...' mompelde ik, 'zou dat die dwerg zijn die dit schilderij gemaakt heeft? Zit hij er zelf in?'

Maar dat kon toch niet? Het schilderij was van hand tot hand gegaan en die dwerg was allang dood. Of... Ik schudde mijn hoofd. Het leek wel of ik niet meer goed kon nadenken sinds ik in het schilderij zat.

Bertus wapperde triomfantelijk met het perkament. Zijn boosheid leek hij op slag te zijn vergeten. 'B? Maar dat is oom Balthasar!'

'En dit is geen inkt,' zei ik. 'Het is bloed...'

X

Sluipzand

'We moeten hem zo snel mogelijk zien te vinden,' zei Bertus geschrokken. 'Voordat het te laat is!'

'Hoe dan, maatje?' vroeg Rapalje. 'Je gaat hier waarheen de wind je blaast, we kunnen dit vlot helemaal niet besturen. En erg hard waait het trouwens niet op het moment.'

Het was alsof de wind ons gehoord had, want plotseling begon het harder te waaien. De aan elkaar geknoopte uniformen stonden bol en het vlot doorkliefde het water als een speedboot.

Kanaille greep de mast beet. 'Wat krijgen we nou?!'

We moesten ons best doen om niet overboord te vallen.

'Land in zicht!' brulde Rapalje even later over het geweld van de golven heen.

'Land in zicht?' zei ik. 'Daarnet zaten we nog midden op zee!'

Toen zag ik het ook.

Vlak voor ons lag een klein, rond eiland. Eigenlijk leek het meer op een omgekieperde zandbak.

Boven op de zandheuvel lagen een breedgerande hoed en een knoestige wandelstok.

'Oom Balthasar!!'

Bertus en ik sprongen het water in.

Gelukkig was het hier ondiep. We waadden zo snel als we konden naar het eilandje toe en ploegden toen door het rulle zand de heuvel op.

'Als we maar niet te laat zijn!' hijgde Bertus. Hij griste de hoed weg.

Eronder werd grijs haar zichtbaar, dat als een pluk helmgras uit goudgeel zand omhoogstak.

'Oom Balthasar!' riepen we. 'Oom Balthasar!!'

Het grijze hoofd draaide naar achteren. Vanuit een verzand gezicht keken twee staalblauwe ogen ons kil aan.

Oom Balthasar was niet blij ons te zien.

'Hoepel op!' mompelde hij met een mond vol strand.

'Maar oom Balthasar,' zei ik, 'we komen u redden!'

'Ga weg! Dit is een valstrik. En ik ben het lokaas!'

Bertus keek verbaasd. 'Valstrik?'

Op hetzelfde moment kriebelde er iets op mijn enkels.

Bertus begon als een bezetene aan zijn benen te krabben.

'Wat is dit? Vlooien?' Hij stroopte zijn pyjamabroek omhoog.

Het waren geen vlooien.

Het waren zandkorrels.

Als mieren kropen ze onze benen op.

We probeerden ze uit alle macht van ons af te slaan, maar het waren er te veel. In een ommezien zaten Bertus en ik tot aan onze middel onder het zand. Laag na laag zette zich af op ons lichaam en algauw konden we onze benen niet meer bewegen. Alleen met de grootste moeite lukte het ons om onze armen en ons gezicht vrij te houden.

'Tis sluipzand,' sputterde oom Balthasar, wiens gezicht nu helemaal overdekt was. 'We zijn verloren...'

Maar hij had buiten de rovers gerekend.

Net zoals ze Bertus hadden gered van de wurgplant, stormden Kanaille en Rapalje de zandhoop op en begonnen ons als dolle honden uit te graven. Het zand spatte alle kanten op en kleefde vast op hun armen en benen.

Rapalje sleurde Bertus naar het vlot, terwijl Kanaille druk bezig was oom Balthasar te bevrijden.

'Help me!' riep Kanaille toen Rapalje ook mij bij het vlot had gebracht. 'Ik kan me bijna niet meer bewegen!' De rover met de rode baard was veranderd in een zandman. Hij had oom Balthasar bijna uitgegraven, maar zijn bewegingen werden steeds trager.

Rapalje haastte zich naar hem toe en sloeg het zand van zijn makker af. Vervolgens trokken de rovers met z'n tweeën oom Balthasar uit de berg, die zich aan hem vast leek te zuigen. Met een plopgeluid als van een gootsteenontstopper schoot hij ten slotte los en gedrieën tuimelden ze achterover de zandheuvel af, terwijl zandkorrels zich aan hen vasthechtten als sneeuw aan een rollende sneeuwbal. Oom Balthasar had nog net zijn hoed en wandelstok mee kunnen grissen.

In het water spoelden de rovers en oom Balthasar het hardnekkige zand van zich af en klommen toen op het vlot. Een paar zandkorrels wisten eveneens het vlot te bereiken. Maar het waren er zo weinig dat ze geen bedreiging meer voor ons vormden.

'Wegwezen hier!' riep Kanaille.

Rapalje maakte zijn wijsvinger nat en stak hem in de lucht. 'Geen zuchtje wind,' constateerde hij. 'Raar hoor, daarnet waaide het nog.'

'Dat komt door de dwerg,' sprak oom Balthasar grimmig.

Bertus keek verbaasd. 'De dwerg?'

De oude man knikte. 'Zijn ogen zijn overal.'

Ik keek met een onbehaaglijk gevoel om me heen, maar er was niets te zien. 'Wat bedoelt u?'

'Geen tijd!' zei oom Balthasar. 'We moeten voortmaken!'

Rapalje werd bleek. 'Jij weet toch hoe we hier uit kunnen komen, ouwe? Ik wil hier geen minuut langer blijven!'

Oom Balthasar schudde zijn hoofd. 'Onmogelijk.'

'Onmogelijk?' zei Kanaille kwaad. Hij knikte naar ons. 'Die twee snotneuzen hier zeiden dat jij in en uit het schilderij kon komen. Anders hadden we je niet uit die zandbak gehaald, opa!'

De rovers waren lucht voor oom Balthasar. Hij greep ons bij onze kraag en keek ons aan met een priemende blik. 'Ik heb een opdracht voor jullie.'

'Maar...' begon Bertus.

'Geen gemaar, Melchior!' zei oom Balthasar. 'Er is slechts één manier om iedereen uit dit schilderij te krijgen...'

'Maar ik ben Melchior n...'

'... En daarvoor heb ik bloed, zweet en tranen nodig. Van de dwerg.'

'Bloed, zweet en tranen?' herhaalde ik verwonderd. Er drongen zich zoveel vragen op dat ik niet wist welke ik het eerst moest stellen. 'Waarom Bertus en ik?' vroeg ik toen.

'Geen tijd!' zei oom Balthasar opnieuw.

Kanaille trok zijn mes. 'O nee?' sprak hij dreigend. 'Dan máák je maar tijd! M'n makker en ik willen als de sodemieter uit dit schilderij!' Hij zwaaide zijn wapen heen en weer voor oom Balthasars neus, maar de oude man verblikte of verbloosde niet. Hij keek de rover net zo lang aan tot deze de ogen neersloeg.

'Maar hoe komen we dan bij die dwerg?' wilde Bertus weten. 'Hebt u een plattegrond of zo?'

Plotseling kwam het vlot in beweging. Het was net of eraan getrokken werd door reuzenhanden. Steeds sneller ging het.

'Waar gaan we naartoe?' Rapalje hield een hand boven zijn ogen en probeerde in de verte te turen.

Aan de horizon viel niets te bespeuren.

'Dit keer is het in elk geval geen wervelwind,' merkte ik op.

'Daar! Kijk!!' riep Rapalje. Hij wees met trillende vinger naar de zee.

Niet ver bij ons vandaan was een draaikolk. En wij stevenden er recht op af.

'Ik spring eraf!' brulde Rapalje. 'Ik zwem de andere kant op!'

Kanaille greep zijn maat met beide handen beet. 'Blijf hier, idioot!'

'Het is zover!' brulde oom Balthasar. 'Pak de mast en laat elkaar niet los!'

Het was net of we weer in een tornado zaten, alleen gingen we nu omlaag in plaats van omhoog. Een massieve muur van water sloot zich om ons heen. Ik keek naar boven en zag een steeds kleiner wordend rondje lucht. Het rondje werd een stipje en toen slokte de duisternis ons op.

XI

De grot

Bertus knipperde met zijn ogen. 'Hoe zijn we hier gekomen?'
Niemand gaf antwoord. Met open mond keken we om ons heen. Het
vlot lag midden in een kleine grot die verlicht werd door één fakkel.
Op de bodem lag modderig zand.
Rapalje sprong van het vlot en volgde het glijspoor terug dat de boom-
stammen hadden achtergelaten. Het eindigde abrupt bij een rotswand.
Hij gaf een paar flinke klappen tegen de stenen muur en trok een pijn-
lijk gezicht. 'Massief. Daar kunnen we nooit doorheen zijn gekomen!'
'Toch kan het niet anders,' zei Kanaille, die naast hem was komen staan.
Hij voelde met zijn handen langs de wand. 'Ergens moet een geheim
mechanisme zitten, waardoor die rots openschuift.'
'En anders?'
'Anders is het tovenarij...'
Rapalje huiverde.
'Hé,' zei Kanaille. 'Waar is die ouwe gebleven?'
We keken alle kanten op. Oom Balthasar was nergens te bekennen.
'Misschien is-ie weer door een schilderij verdwenen?' opperde Bertus.
Ik schudde mijn hoofd. 'Hier zijn geen schilderijen.'
'Dat zeg je nou wel...' Bertus stak zijn neus in de lucht en snoof.
'Wat ruik je?' vroeg ik. 'Pannenkoeken?'
Mijn neef schudde zijn hoofd. 'Verf.' Hij knikte naar het andere eind
van de grot. 'Het komt daar ergens vandaan.'
'Kom,' zei Kanaille. 'Misschien is daar een doorgang.'
'En oom Balthasar dan?' vroeg Bertus.
'Die ouwe redt z'n eigen hachie maar!'
'Ik g-ga niet mee, hoor!' bibberde Rapalje. 'Ik p-pas wel op het vlot...
Kom maar terug als je de uitgang gevonden hebt. Dan b-blijven wij ge-
zellig hier, hè luitjes?'
'Dat vlot is waardeloos,' bromde Kanaille. 'Daar hebben we niks meer
an.' Hij pakte de fakkel en liep zonder om te kijken met ferme passen

van ons weg. Achter hem verspreidde de duisternis zich als een steeds groter wordende vlek over de wanden van de grot.

Bertus en ik haastten ons achter hem aan.

'Laat me niet alleen!' riep Rapalje. 'Wacht op mij!'

Het kostte ons moeite om Kanaille bij te houden. In een mum van tijd was hij aan de andere kant van de grot. Hij hield de fakkel omhoog en liet het licht over de rotswand gaan.

Nergens was een opening te zien.

'N-nou,' hakkelde Rapalje. 'Dat kunnen we dus wel vergeten. Zullen we maar weer teruggaan dan?'

'Wacht!' zei ik. 'Volgens mij zag ik iets. Linksonder.'

Opnieuw bescheen Kanaille de wand met de fakkel en ditmaal zagen we het. Een klein gat vlak bij de grond.

Bertus hield zijn gezicht erbij en snufte aandachtig. 'Ja hoor, hier is de verflucht het sterkst.'

'Dan gaan we daar doorheen,' besliste Kanaille. Hij ging op zijn knieën zitten en maakte aanstalten zijn hoofd in het gat te steken.

Rapalje stak een vinger op. 'Is dat wel verstandig?'

'Hoezo, verstandig?' bromde zijn collega.

'Nou, we weten toch niet wat ons daar te wachten staat? Misschien is het wel een valstrik. Hakken ze tjak je hoofd eraf of zo.'

'Je hebt gelijk.' Kanaille pakte Bertus bij zijn arm. 'Jij gaat eerst. Als de kust veilig is, fluit je twee keer. Eén keer lang en één keer kort. Als het niet veilig is, fluit je één keer. Kort.'

'En als ik nou niet meer kán fluiten?' vroeg Bertus, die plotseling erg wit zag.

'Dan fluit je niet.'

Bertus knikte onzeker. Hij kroop op handen en voeten het gat in en kreeg een zet van Kanaille toen hij niet opschoot. Algauw was hij uit het zicht verdwenen.

Kort daarop klonken twee fluitjes. Eentje lang en eentje kort. Opgelucht haalde ik adem.

'Goed,' zei Kanaille tegen mij. 'Nu jij, maatje.'

Ik kroop door het gat en even later stond ik in een grot die veel groter was dan de eerste. Hier en daar brandden fakkels en spinrag slierde donker aan de gewelven, die ondersteund werden door natuurlijk gevormde pilaren. De lucht was zwaar en muf, als in een graftombe. Het wemelde er van de schilderijen; sommige hingen aan de wanden, maar de meeste waren onvoltooid. Het leken probeersels, mislukkingen die in woede opzij waren gesmeten. In veel doeken zat een scheur of een gat, en soms was er met zwarte verf in groffe halen een kruis overheen geschilderd.

Achter me hoorde ik de rovers vloeken en kreunen. Ze probeerden zich tegelijk door de smalle opening te wurmen.

'Zebedeus!' riep mijn neef. 'Hier!'

Bertus stond vlak voor een groot schilderij. Een woeste zee, donkere wolken, en een glinsterende lucht.

'Het zeegezicht!'

'Dacht ik eerst ook. Het lijkt er als twee druppels water op, toch is het anders. Kijk maar eens...'

Hij keek naar rechts en heel langzaam verschoof het beeld op het schilderij ook naar rechts. Toen keek hij omhoog en het beeld ging naar boven, zodat er meer van de lucht en de wolken zichtbaar werd.

Bertus keek mij glunderend aan. 'Gaaf hè? Op die manier kun je het hele zeegezicht in de gaten houden.'

Zijn ogen zijn overal, had oom Balthasar gezegd. Zó wist de dwerg dus wat er allemaal gebeurde in het schilderij! 'Bertus,' siste ik, 'dit is de schuilplaats van de dwerg! We moeten ons verstoppen!'

'Huh?'

'Kom op!' Ik trok hem mee naar een groot schilderij dat ergens tegen een wand stond. 'Hierachter!'

We hadden ons net verborgen toen de rovers eindelijk uit het gat tevoorschijn kwamen.

'Ze zijn 'm gesmeerd!' siste Kanaille. 'Ik rijg ze aan m'n...' Hij greep vergeefs naar zijn wapen. 'M'n mes! Waar is mijn mes?'

'Misschien heb je het ergens laten vallen?'

'Nee, ik weet het weer. Ik bedreigde die ouwe ermee en toen...'

'Kanaille!' zei Rapalje op dringende toon. 'Moet je dit es zien!'

De rovers waren nu uit ons zicht verdwenen. We keken om de hoek van het schilderij en strekten onze hals. Zo konden we net zien hoe ze met grote ogen naar iets op de grond staarden.

'Maar...' begon Kanaille, 'dat is dat steegje waar we...' Hij stak een hand uit en trok hem meteen weer terug. 'Het is betoverd!' fluisterde hij. 'Net als dat zeegeval.' Hij keek zijn maat aan. 'Denk jij wat ik denk, Rapalje?'

Rapalje dacht even na. 'Ik denk van wel,' zei hij toen. 'Dat ik denk wat jij denkt, bedoel ik.'

'Dit is de uitweg, jongen!' riep Kanaille. 'Hierdoor kunnen we uit dit verdomde schilderij. Terug naar huis!'

Rapalje keek bedenkelijk. 'Weet je dat zeker? Moeten we niet op die ouwe wachten? Die kan ons vast wel vertellen of...'

'Pha!' schamperde Kanaille. 'Wacht jij maar op die ouwe. Ik blijf hier geen seconde langer!'

Het volgende moment was Rapalje alleen. Hij keek vertwijfeld rond. 'Maatjes? Zijn jullie daar ergens? Dan eh ga ik ook maar. Nou, tabee hè.'

Toen was ook Rapalje verdwenen.

'Kom,' zei ik. 'Laten we kijken wat er gebeurd is.'

'Maar de dwerg...' sputterde Bertus tegen.

Ik schoot uit onze schuilplaats vandaan en Bertus kwam me snel achterna.

Op de plek waar de rovers waren verdwenen, stond een manshoog schilderij, gevat in een eenvoudige houten lijst. Er was een kronkelig steegje op afgebeeld, met aan weerskanten kromgebogen huisjes. Aan het eind ervan was een bocht, waar twee lange schaduwen overheen vielen. Boven het steegje stond een volle maan, die alles met een kil licht overgoot.

'Brrr,' zei Bertus. 'Dat ziet er niet echt gezellig uit!'

'Maar... da's dat straatje waar de majoor het over had!' riep ik. 'Waar de rovers het zeegezicht hebben gevonden!'

Bertus keek nog eens goed. 'Je hebt gelijk. Dus ze zijn weer terug naar af.' Hij drukte zijn neus bijna in het schilderij. 'Wat raar. Daarnet waren er van die lange schaduwen...'

'Ja, en?' zei ik niet-begrijpend.

Bertus keek mij aan. 'Waar zijn die nu dan gebleven?'

Hij had gelijk. Ze waren verdwenen. Foetsjie. 'Hoe kan dat nou?'

'Konden we maar om die bocht kijken,' verzuchtte Bertus. 'Dan kwamen we er misschien achter waar ze gebleven zijn.'

Opeens verschoof het beeld. Het was net of een camera de hoek om was gegaan. De beide rovers kuierden over het kronkelweggetje. Ze keken onzeker om zich heen. Rapalje zei iets tegen zijn maat.

'Dit werkt hetzelfde als die kopie van het zeegezicht!' fluisterde Bertus. 'Konden we maar horen wat ze zeggen...'

Op dat moment klonken er gedempte voetstappen. Geschrokken keek ik over mijn schouder. Maar het geluid kwam uit het schilderij. Toen hoorden we de stemmen van Kanaille en Rapalje.

'Dit is nog gaver dan mijn spelcomputer!' riep Bertus enthousiast.

XII

Het witte niets

De rovers kijken onzeker om zich heen.

'Er is iets raars met deze straat,' zegt Rapalje. 'Ik voel het...'

'Iets raars? Man, zeur niet!' zegt Kanaille bars. 'Wees blij dat we terug zijn in de gewone wereld! Hier is alles zoals het zijn moet!'

Maar hij voelt zich evenmin op zijn gemak.

De huizen lijken wel op de huizen in de steeg waar ze het zeegezicht hebben gevonden, maar toch ook weer niet.

'Het is net of ze van bordkarton zijn,' mompelt Rapalje. 'Alsof er achter de voorkant niks is.'

'Het is nacht. Iedereen is naar bed. Daar komt het door.' Kanaille geeft zijn maat een joviale klap op de rug. 'Kom op, ouwe reus! We duiken de eerste de beste kroeg in en drinken een paar borreltjes op onze behouden thuiskomst. De laatste die binnen is trakteert!'

Rapalje blijft staan. Aarzelend steekt hij zijn hand uit naar een van de kromme huisjes. 'Het vóélt ook raar...'

Hij laat zijn hand zien.

Er zit natte verf op.

Kanaille trekt met zijn schouders. 'Zeker net geschilderd.'

'Midden in de nacht?' Rapalje kijkt ongelovig. Hij snuift aan zijn vingers en zijn ogen worden groot. 'Zal ik je eens wat zeggen? Het ruikt naar dat spul in de grot. Olieverf.'

'Maar...' begint Kanaille. 'Dat betekent... dat we weer in een...'

'Precies,' zegt Rapalje.

De rovers kijken elkaar aan.

Dan beginnen ze te rennen. Als gekken. Ze hollen halsoverkop door de ene straat na de andere en kijken angstig om zich heen.

De huizen, de straten en de lucht gaan steeds meer op een kindertekening lijken. Een raam is een smeer zwart, een deur een bruine veeg, dakpannen zijn oranje vlekken. Kleuren dansen voor hun ogen en waaieren uit als inkt in een plas water. Vormen rafelen uiteen als een omgekeerd breiwerk en verdwijnen in het niets. Niets blijft er van de huizen en de straten over. Op het laatst zien ze alleen nog een paar groffe penseelstreken.

Dan is het wit.

Zo wit als een doek.

Voor en achter hen, onder en boven. Aan alle kanten zijn de rovers omringd door een afgrijselijk wit niets.

Uitgeput blijven ze staan om op adem te komen.

'Waar zijn we, Rapalje?' hijgt Kanaille, steunend met zijn handen op zijn knieën. 'We zijn niet thuis hè?'

Rapalje schudt het hoofd. 'Nee, we zijn niet thuis.'

'Waar zijn we dan?'

Rapalje haalt zijn schouders op. 'Kweenie.'

Kanaille kijkt verbijsterd naar het niets onder zijn voeten. 'Waarom vallen we niet? Waarom tuimelen we niet als een baksteen omlaag? We staan nergens op! We hangen zomaar in het luchtledige!' Hij maakt een dansje en trekt akelige grimassen. 'Ben ik m'n verstand kwijt, ouwe makker? Knijp me, dan weet ik tenminste zeker dat ik niet droom!'

Rapalje knijpt Kanaille hard in zijn arm.

De rover springt op. 'Auw!' Dan laat hij zich op de grond zakken. 'Het is dus echt, Rapalje,' zegt hij verslagen. 'We zijn in de val gelopen. Regelrecht in de val. Gevangen in een schilderij ín een schilderij... Een schilderij dat verdorie niet eens af is!'

Rapalje kijkt de andere kant op. In wat ooit lucht was, zweven nog een paar vegen verf. 'Zouden we nog terug kunnen?' hoort hij zichzelf opeens zeggen. 'Uit dít schilderij? Terug naar het zeegezicht?'

'Dat kun je wel vergeten,' zegt een derde stem.

De rovers kijken naar het witte niets. Dan zien ze in de verte een stipje. Voorzichtig sluipen ze die kant op. Het stipje blijkt een gestalte, die met zijn rug naar hen toe zit. Als de man zich omdraait, zien Rapalje en Kanaille dat hij een stoppelbaard heeft. Zijn kleren zien er rafelig en vies uit, zijn haar is warrig. En in zijn ogen ligt een holle blik.

Rapaille wijst. 'Maar dat is...'

'Guldenstern!' roept Kanaille. 'Hoe ben jij hier gekomen?'

'Je kunt er niet uit,' mompelt Guldenstern, voor zich uit starend. 'Nooit niet. Ik ben alle kanten op gelopen. Noord, oost, zuid, west. Maar *altijd* kom je weer hier terug... Om gek van te worden!'

'Volgens mij is-ie dat al,' fluistert Rapalje in Kanailles oor.

'Als we hier nog veel langer blijven, worden we alle drie stapeldol,' fluistert Kanaille terug.

Rapalje knikt. 'Of we gaan eerst dood van de honger.'

'Honger,' kreunt Guldenstern. 'Ik heb zo'n verschrikkelijke honger!' Voor het eerst kijkt hij zijn makkers aan. Hij grijpt Rapalje beet met een klauwachtige hand en trekt hem omlaag. 'Hebben jullie niks te eten bij je?'

Ze schudden hun hoofd.

'Zelfs geen rat?' vraagt hij watertandend. 'Ik ben al blij met een dooie mus.'

Kanaille spreidt zijn handen. 'We hebben niks.'

Guldenstern laat Rapalje los. 'Dan zullen we moeten loten,' zucht hij.

'Loten?' vraagt Rapalje.

'Ja, wie er het eerst aan de beurt is...'

'Het eerst voor wát?' vraagt Kanaille.

'Om opgegeten te worden.'

'Maar ik wil helemaal niet worden opgegeten!' roept Rapalje.

'Of we doen het in volgorde van leeftijd,' gaat Guldenstern onverstoorbaar verder. 'De jongste eerst...'

'Maar jij bent de oudste!' zegt Kanaille. 'Wie eet jou dan op?'

'Niemand,' geeft Guldenstern toe. 'Maar wees blij. In tegenstelling tot jullie zal ik hier helemaal in m'n eentje moeten wegkwijnen, met alleen jullie afgekloven botten als gezelschap.'

'Nou, ik dans de horlepiep van vreugde,' mompelt Kanaille. 'Toch zoek ik liever een andere uitweg.'

Rapalje knikt heftig. 'Ik ook!!'

'Die is er niet,' zegt Guldenstern. 'Wacht maar tot je honger krijgt, dan piep je wel anders.'

Kanaille ijsbeert een tijdje heen en weer. Dan blijft hij voor Rapalje staan en steekt zijn hand uit. 'Geef me je mes.'

Rapalje aarzelt. 'Wat b-ben je ermee van p-plan?' Hij kijkt opzij naar Guldenstern. 'Je gaat me toch niet...'

'Ik ga ergens een opening maken,' legt Kanaille uit. 'Dan kunnen we er misschien doorheen.'

'Je bedoelt... een gat? In dit schilderij? Is dat niet gevaarlijk?'

'Word je liever opgegeten? Ook goed hoor.'

Guldenstern likt met zijn tong langs zijn schrale lippen.

'N-nee!' stottert Rapalje.

'Geef mij dan dat mes!' zegt Kanaille ongeduldig.

Haastig overhandigt Rapalje zijn wapen.

Met het mes in de aanslag gaat Kanaille op zoek naar een geschikte plek. Dan prikt hij ermee in het witte niets. Het is alsof hij het metaal in een stuk papier steekt. Met de precisie van een chirurg maakt hij van boven naar onderen een snee van twee meter. Met zijn handen trekt hij de opening iets uit elkaar en kijkt erdoorheen.

'Kun je iets zien?' vraagt Rapalje.

Kanaille wordt opeens doodsbleek. Hij deinst achteruit en fluistert: 'D-daar... een... een enorm oog. Het loert!'

XIII

Bloed, zweet en tranen

'Kun je iets zien?' vroeg ik.

Bertus tuurde met één oog door het scheurtje dat Kanaille in het schilderij had gemaakt. 'Ja, ik kan er dwars doorheen kijken. Ik zie de achterkant, die is van hout.'

'Dat bedoel ik niet. Kun je ín het schilderij kijken?'

'Nee.' Bertus kwam weer overeind. 'Maar wij konden ze toch al zien en horen door naar het schilderij te kijken, dus dat maakt niks uit.'

'Maar ze kunnen ons wél zien door die scheur,' zei ik. 'Kanaille schrok zich te pletter van jouw oog.' Ik dacht snel na. 'En als ze ons kunnen zien, kunnen ze ons misschien ook horen...'

'Huh?'

'We moeten ze waarschuwen, Bertus. Dat ze niet proberen door die scheur uit het schilderij te komen.'

'Waarom niet?'

'Omdat het gevaarlijk kan zijn,' zei ik, 'daarom. En misschien kán het zelfs niet eens. Dus kunnen we beter wachten tot oom Balthasar er is om de rovers te helpen.'

'En wat doen we ondertussen met dit schilderij?' Bertus knikte naar het witte doek waarin alleen de nietige figuurtjes van de rovers te zien waren. 'Bewaken tot oom Balthasar eindelijk opduikt?'

Ik schudde mijn hoofd. 'We nemen het mee.'

'Dat hele ding?'

'Er zit niks anders op,' verzuchtte ik. 'We moeten het uit de klauwen van de dwerg zien te houden. Wie weet wat voor vreselijke dingen hij met de rovers van plan is...'

'Ik heb een idee!' Met een grijns haalde Bertus een groot, scherp mes tevoorschijn.

Ik keek er verbijsterd naar. 'Hoe kom je dááraan?'

'Da's het mes van Kanaille. Hij liet het vallen toen we in die draaikolk terechtkwamen. Ik kon het net pakken en...'

'Sst!' zei ik.

'Wat is er?'

'Ssst!'

Iemand neuriede zacht een lied, traag en treurig als een dodenmars. Het geluid kwam dichterbij. Snel verborgen we ons achter het witte doek. We hielden onze adem in en gluurden over de rand.

Het was de kale dwerg.

Hij slofte tussen alle schilderijen door en kwam rechtstreeks onze kant op. We doken weg. Toen hij bij ons was aangekomen, bleef hij staan. Vlak voor het schilderij. Hij boog zich eroverheen, keek, en lachte toen kakelend.

'Ha! Mijn plannetje heeft gewerkt. De indringers zitten in de val! Wat zal ik met ze doen, Kletskop? Een kille kerker over hen heen schilderen? Een lollige leeuwenkuil?'

Bertus en ik huiverden.

'Ben je je tong verloren? Hè hè hè. Eerst moet ik het slot voorbereiden, de tijd dringt. Bijna al mijn kostbare doeken zijn volgeschilderd, vaak meer dan eens en dat verwatert de werking. Bovendien heb ik er veel minder dan ik dacht. Mijn verf raakt op en de penselen zijn sleets. Ze verharen als een kat in de rui. Ja, het is tijd, vriend. Tijd voor onze wraak!'

We hoorden hem wegsloffen en waagden een blik.

De dwerg zette een eindje verderop een schildersezel neer, waarop een klein schilderij stond dat nog niet was ingelijst. Vervolgens sleepte hij een weerbarstig piepend tafeltje over de grond, dat ernaast kwam te staan. Tante had er ook zo een; een klein tafelblad op hele hoge poten. Het was een plantentafeltje, waarop tante een palm had staan in een koperen pot. De dwerg zette er een schimmelige schedel op, die zich dood leek te lachen.

Hij gaf de schedel een goedkeurend klopje. 'Zo, ouwe jongen, kun je mooi zien wat ik allemaal doe!'

Nog meer gesleep en geschuif. De dwerg trok een tafeltje bij waarop allerlei schilderspullen stonden. Bertus en ik strekten onze hals om te zien wat er op het schilderijtje was afgebeeld.

'Kun je het zien?' vroeg de dwerg.

Haastig trokken we ons hoofd weer terug. Had hij ons ontdekt? Straks eindigden wij ook nog in een schilderij!

'Wacht even, Kletskop. Dan zet ik het een stukje deze kant op. Zo goed?'

Er kwam geen antwoord.

'Wie zwijgt, stemt toe!' kakellachte de dwerg.

We keken opnieuw. De ezel was iets meer onze kant op gedraaid, waardoor we het schilderij beter konden zien. Bijna het hele doek was gevuld met een donker schip. Het had drie zeilen die bol stonden van de wind en boven in de middelste mast wapperde een zwarte vlag. Het fregat leek in het niets te hangen, alsof het erop wachtte om te water te worden gelaten. Aan de zijkant hingen zwarte roeibootjes.

De dwerg had intussen een houten rekje gepakt waar drie reageerbuisjes in hingen, elk afgesloten met een kurk. Hij hield het rekje tegen het licht van een fakkel en tuurde er aandachtig naar.

'Hm,' prevelde hij peinzend. 'Eerlijk zweet is er nog volop, maar het bloed is belegen en klonterig.' Hij pakte het derde buisje, haalde de kurk eruit en snoof eraan. Zijn gezicht betrok. 'En de tranen zijn verschaald.' Hij schudde het hoofd. 'De huil is eruit...'

Ik stootte Bertus aan en hij gaf mij op hetzelfde moment een por. Hier kwamen wij voor! We durfden elkaar niet aan te kijken en bleven de dwerg gespannen in de gaten houden.

Terwijl hij het laatste buisje bij zijn gezicht hield, begon het mannetje zacht tegen het doodshoofd te praten.

'Kletskop, jij was erbij toen de soldaten mij wegsleurden. Toen de vlammen mijn schilderijen verteerden. Toen ze mij lieten dansen met hun vuurstokken... Jij hebt alles gezien. En gehoord. *Dans, dwerg, dans!* riepen ze. *Dans, dwerg, dans!* Iedereen deed mee, niet alleen de soldaten. Mannen, vrouwen, kinderen zelfs. En alleen omdat ik anders was...'

Een korte snik, en een traan liep langs zijn neus, gevolgd door een tweede. En een derde. Dikke druppels rolden een voor een de reageerbuis in die algauw tot de rand gevuld was. De dwerg duwde de kurk er weer op en veegde met een mouw langs zijn ogen. Mismoedig keek hij naar het verzamelde traanvocht. 'De oogst van een ellendig leven,' mompelde hij tegen de schedel. Toen fonkelden zijn ogen. 'Maar ze zullen ervoor boeten! Dansen zullen ze, dansen tot ze erbij neervallen! En dat alles dankzij dit schilderij, dat een *tovenaar* van me heeft gemaakt!'

De dwerg zette het buisje met tranen terug in het rekje en pakte het middelste. Hij maakte het open en prikte met een mes in het topje van

zijn wijsvinger. Traag welde er een druppel bloed uit op die even, als
dauw op een blad, bleef liggen voordat hij langs de vinger het buisje in
rolde. (Naast me hoorde ik Bertus zachtjes kokhalzen.) Toen ook dit
buisje vol was, gromde de dwerg tevreden. 'Nog een tweede laagje vernis voor de beste werking...'

Hij pakte een schaaltje met een melkachtige vloeistof erin en voegde
er een paar druppels bloed, zweet en tranen aan toe. Nadat hij alles
door elkaar had geroerd, doopte hij er een kwast in. Terwijl hij hetzelfde naargeestige deuntje neuriede als daarnet, verdeelde hij het mengsel
over het doek. Het schilderij begon wonderlijk te glanzen en opeens
zag het schip eruit alsof het elk moment kon gaan varen. De zeilen leken te bewegen en het was of de vlag werkelijk wapperde.

Wij hielden onze adem in.

'Ziezo,' mompelde de dwerg. 'Dat zit erop. Nu moet het alleen nog
drogen.' Hij gaf een klopje op de grijnzende schedel. 'Ik ga een dutje
doen, Kletskop. Houd jij intussen maar een oogje in het zeil.' Het ventje kakellachte. 'Straks laten we het schip te water en dan kan de laatste
acte beginnen!'

Even later hoorden we een indringend gesnurk. De dwerg was in slaap
gevallen. Ik knikte naar Bertus en we kwamen achter het schilderij
vandaan. Verkrampt strekten we onze ledematen.

'Waar is-ie?' fluisterde ik.

'Wie?'

'De dwerg natuurlijk! Wie anders?'

We keken om ons heen.

Mijn neef wees naar het andere eind van de grot. 'Dat gesnurk komt
van ergens daarachter, geloof ik...'

'Mooi, laten we dan opschieten. Ik pak dat rekje met de reageerbuisjes
en jij snijdt het schilderij met de rovers uit de lijst.'

Terwijl Bertus voorzichtig het doek begon los te snijden, zei hij: 'Op
wie wil de dwerg wraak nemen, denk je? Ze moeten *dansen tot ze erbij
neervallen.*' Hij was even stil. 'Zouden dat die dansende dwazen zijn,
waar oom Balthasar het over had? En wat wil hij met dat schip?'

'Weet ik veel!' verzuchtte ik. 'Laten we eerst hier zo snel mogelijk zien
weg te komen.' Toen ik naar het rekje wilde grijpen, voelde ik plotseling dat iemand naar mij keek. 'En staar niet zo!' zei ik, zonder me om
te draaien. 'Daar krijg ik de kriebels van!'

'Ik staar helemaal niet naar jou!' Bertus klonk geërgerd. 'Ik heb al m'n
aandacht voor dit schilderij nodig.'

'Maar als jij het niet bent, wie...' Ik keek over mijn schouder. De oog-kassen van de schedel gaapten mij aan. 'Kletskop!'

Bertus fronste zijn wenkbrauwen. 'Die doodskop? Maar die hééft toch helemaal geen ogen?'

'Je hebt gelijk,' zei ik. 'Onzin. Het zijn de zenuwen.' Opnieuw probeer-de ik het rekje te pakken. En weer voelde ik een brandende blik op mijn rug. Ik deed een stap naar achteren. 'Ik weet niet wat het is, tove-narij of wat dan ook, maar het lukt me gewoon niet...'

Mijn neef rechtte zijn rug en kwam met stoere stappen naar mij toe. Hij stak zijn hand uit naar de reageerbuizen. 'Wacht maar,' zei hij. 'Ik zal het wel even...' Zijn hand bleef in de lucht hangen, een paar centimeter van het rekje vandaan, alsof er een onzichtbaar obstakel tussen zat. Ber-tus werd bleek, bleker dan ik hem tot nog toe gezien had.

De schedel leek ons recht in ons gezicht uit te lachen.

'Zie je wel?' zei ik.

Bertus knikte zwijgend.

Ik keek naar de doodskop. 'We moeten hem omdraaien, zodat-ie de an-dere kant op kijkt. Dan kan hij ons niet tegenhouden.'

'Als je maar niet d-denkt dat ík dat d-doe,' hakkelde Bertus. 'Wie weet wat er gebeurt als je dat ding aanraakt. Misschien val je wel dood neer! Of word je zo gek als een deur!'

'Geef mij dat mes,' zei ik.

'Maar ik ben nog niet klaar...'

'Schiet op!'

Bertus gaf het mes. Ik duwde ermee tegen het doodshoofd en schoof het een stukje de andere kant op. 'Zo, nog één zetje en dan...'

Plotseling rolde de schedel het hoge tafeltje af en belandde met een klap op de grond. De dreun werd door de wanden van de grot weer-kaatst. Het gesnurk van de dwerg haperde en hield op.

'Wegwezen!' riep Bertus.

Ik griste het rekje met de drie buisjes weg en duwde het in zijn han-den. 'Hier! Rechtop houden!'

'Wat ga jij d-doen?'

'De rovers!' Met een paar halen sneed ik de rest van het doek los. 'Blijf waar je bent!' siste ik in de scheur. Zonder een antwoord af te wachten, rolde ik het doek op en stak het onder mijn arm.

'Gaan we terug door het gat?' vroeg Bertus benauwd.

'En hoe denk je door die rotswand heen te komen?' Ik schudde mijn

hoofd. 'Dan zitten we als ratten in de val. We moeten een andere uitgang zien te vinden. En snel ook!'

Aan de andere kant van de grot klonken sloffende voetstappen.

'Hij komt eraan!' piepte Bertus. Zijn handen trilden zo erg dat de reageerbuisjes tegen elkaar rinkelden.

'Kijk uit, oen! Straks gaan die dingen aan diggelen!'

'Maar ik wil niet in zo'n eng schilderij worden opgesloten!'

'Wacht eens,' zei ik. 'Dat brengt me op een idee...'

'Een idee?' Bertus keek ongerust. 'Wat voor idee?'

Ik trok Bertus mee terug naar het donkere schip. 'Als het niet werkt,
zijn we de klos, en anders misschien ook. Maar we hebben geen keus.'
Ik knikte naar het schilderijtje. 'Jij eerst.'

Bertus wees naar het schip. 'Bedoel je dat we... dat we daar ín moeten?
Maar het is nog niet af! Bovendien passen we er nooit in. En als we er
al in komen, hoe komen we er dan weer uit?'

Ik nam het schilderij van de ezel en hield het voor zijn neus, als een
brandende hoepel voor een olifant. 'Erin, Bertus. Nu!'

Hij bracht zijn hand naar het schilderij. Zijn vingers verdwenen erin,
zijn hand en zijn arm. 'Zebedeus, ik zit klem!'

Opeens leek het schilderij aan alle kanten uit elkaar te worden getrokken, maar het scheurde niet. In plaats daarvan rekte het mee alsof het
van elastiek was; het schip werd drie keer zo breed en drie keer zo
hoog. Het doek klapte om Bertus heen als een dubbelgevouwen pannenkoek en slokte hem op. Het laatste dat ik van hem zag, waren zijn
spartelende benen.

XIV

De roerloze roerganger

Met een bons belandde ik even later boven op Bertus.
'Oef! Kun je niet uitkijken? Die buisjes waren bijna kapot!'
'Sorry, maar het was een beetje moeilijk mikken.' Ik raapte het opge-
rolde schilderij op en krabbelde overeind.
We bevonden ons midden op het zwarte schip. Het was enorm groot
en breed, en de masten waren zo hoog dat je nauwelijks kon zien waar
ze eindigden. Ik werd draaierig van het omhoog staren naar de lucht,
die zo wit was als een onbeschreven blad.
'Zie je wel,' zei Bertus. 'Ik had gelijk!' Hij hing over de reling en knikte naar omlaag.
Waar water had moeten zijn, was geen water. Er was helemaal niets.
'Het is niet af! Ik zei het toch?' jammerde Bertus. 'We zijn van de regen
in de drup beland. Hier komen we nooit meer uit!'
'Vast wel,' probeerde ik hem gerust te stellen. 'De dwerg gaat het schip
toch te water laten? Dat zei hij zelf.'
Bertus schudde zijn hoofd. 'Hij heeft vast gezien dat we in het schilde-
rij zijn gevlucht. Nu gaat-ie er natuurlijk iets vreselijks mee doen. Een
zee met reuzenhaaien erbij schilderen, of een vreselijk onweer in de
lucht. Met donder en bliksem en...'
'Bertus! Kijk!'
De leegte onder ons begon van het ene op het andere moment vol te
lopen met water, alsof iemand de kraan had opengedraaid. Algauw
klotsten de eerste golven tegen de boeg.
'En moet je dát zien!' Bertus wees omhoog.
De hemel vulde zich met de inmiddels bekende glinsterlucht en grote,
donkere wolken.
'We zitten weer in het zeegezicht,' zei ik.
Bertus knikte. 'Hoe heeft-ie 'm dat geflikt?'
'Geen idee. Maar we zijn terug in het zeegezicht en we hebben de op-
dracht van oom Balthasar uitgevoerd. Daar gaat het om.'

'Alleen is nu oom Balthasar weer zoek,' mompelde mijn neef somber. 'En ik begin trek te krijgen, maar de pannenkoeken zijn op. Kanaille heeft de laatste opgegeten. En er zijn ook geen kokosnoten meer.' Hij tuurde om zich heen. 'Denk je dat ze hier iets te eten hebben?'

'Laten we eerst maar eens op zoek gaan naar oom Balthasar.' Ik knikte naar het rekje. 'Ik ben benieuwd wat hij daarmee van plan is. Hij zei dat er haast bij was.'

'Die dwerg zei ook al dat de tijd dringt. Misschien moeten we oom Balthasar roepen.' Bertus zette zijn handen aan zijn mond en gilde: 'Oom Balthasaaaar! Waar bent u?!'

Er kwam geen antwoord.

Bertus riep nog een keer, maar het bleef stil. Hij liet zijn schouders zakken. 'Wat doen we nu?'

'We kunnen het schip verkennen,' stelde ik voor. 'Alles beter dan hier wachten. Misschien is oom Balthasar ergens benedendeks.'

'Of hij is in een val gelopen.' Bertus keek benauwd.

'Als je bang bent, blijf je maar hier. Dan ga ik wel alleen.'

'Wacht!' Bertus greep mijn arm beet. 'Ik ga met je mee. Kijk ik gelijk of er iets te eten is.'

Geruisloos als een schaduw slopen we over het enorme dek, op zoek naar een luik waardoor we naar beneden konden. Maar het gepiep, gekraak, gerammel en geratel van het schip werkte op onze zenuwen, en bij het minste of geringste sprongen we overeind. Elke keer was het loos alarm. Het leek wel of er behalve onszelf op het hele schip geen levend wezen was.

'Volgens mij is het een spookschip,' fluisterde Bertus toen we een tijdje gelopen hadden. 'Waarom zou anders die zwarte vlag in de top hangen? En het is zo eng uitgestorven. Zelfs de spoken zijn vertrokken. Huu! Het lijkt *De Vliegende Hollander* wel...'

'Ssst!' Ik wees naar de achterboeg.

Achter een groot houten stuurwiel stond een reusachtige kerel, met een baard zo wit als sneeuw. Hij hield het roer vast met een hand en een haak. Zijn goede oog staarde onafgebroken over de eindeloze zeevlakte, het andere ging schuil achter een zwart ooglapje. Hij stond wijdbeens. Uit zijn linker broekspijp stak een stuk hout dat uitliep in een scherpe metalen punt.

'Manke Tinus!' riep Bertus.

Inderdaad kon het niemand anders zijn dan de woeste zeerover die Ka-

naille, Rapalje en Guldenstern zonder pardon in het zeegezicht had gesmeten. Stijf als een standbeeld stond hij achter het stuur. De knokkels
die het roer omklemden, waren bloedeloos. Zijn gelaat was een ondoordringbaar masker; hij knipperde niet één keer met zijn ogen en het
leek zelfs of hij geen adem haalde. Ook Bertus' uitroep bracht hem niet
tot leven.

'Is-ie dood?' Bertus deed een stapje naar achteren. 'Gemummificeerd?'
'Eerder gehypnotiseerd,' zei ik, terwijl ik om de roerloze gestalte heen
liep. Zijn oog volgde mij niet. Ik knipte een paar keer met mijn vingers
en klapte in mijn handen, maar er veranderde niets.
Bertus keek mij verbaasd aan. 'Waarom doe je dat?'
'Ik probeer hem wakker te krijgen,' legde ik uit. 'Mensen die gehypnotiseerd zijn, kun je vaak terughalen door met je vinger te knippen of te
klappen.' Ik dacht na. 'Er moet een manier zijn waardoor we hem uit
die hypnose kunnen krijgen. Maar hoe?'
'Als het een hypnose ís,' mompelde Bertus. 'Misschien is-ie wel in een
zombie veranderd.' Hij huiverde. 'Een ondode. Komt-ie achter ons aan
met uitgestrekte armen en achtervolgt-ie ons tot het bittere einde...'
'Een zombie? Die bestaan helemaal niet!'
'Wacht maar,' zei mijn neef, 'tot hij je in z'n klauwen krijgt...'
'Dan slaan we toch gewoon een staak door zijn hart? Of we verdrijven
hem met een teentje knoflook en een kruis.'
'Dat doen ze met vampiers,' verbeterde Bertus, die thuis een boeken-
kast vol griezelverhalen had.

'Misschien moeten we hem aan het schrikken maken, dat deed mijn moeder vroeger altijd als ik de hik had...' Ik ging achter de piraat staan en gilde keihard: 'BOE!'

'Hij heeft niet de hik,' zei Bertus. 'En hij is trouwens nog steeds zo stijf als een plank. Misschien is-ie wel opgezet.' Hij keek naar het starende oog. 'Volgens mij is dat nep.' Toen gleed zijn blik naar de brede schouders van de zeerover. 'Hé, had-ie niet een papegaai?'

'Je hebt gelijk! Hoe heette dat beest? Frits?'

'Fritz,' zei Bertus. 'Hij was Duits.'

Er trilde iets in de rechter ooghoek van Manke Tinus.

'En wat zei Fritz ook weer?' vroeg ik, terwijl ik het gezicht van de zeerover scherp in de gaten hield.

'Himmeldonnerwetter!' riep Manke Tinus. Hij draaide zich naar ons toe en knipperde met zijn oog. 'Wie zijn jullie?' bulderde hij. 'Waar ben ik? En wat doe ik hier met dat ding in m'n poten?'

'Euh, ik ben Zebedeus en dat is Bertus, mijn neef. Wij zitten in het zeegezicht, net als u. Enne, ik weet niet waarom u dat ding in uw po... eh handen... nou ja, *hand*, hebt...'

'Het zeegezicht!' riep Manke Tinus uit. 'Het is echt! Ik dacht dat ik droomde!'

'En wij dachten dat u dood was!' zei Bertus.

'Dood?' De piraat keek plotseling ongerust om zich heen. 'Is het hem dan toch gelukt? Is hij hier?'

'Wie?' vroegen wij.

'Hij voor wie ik gevlucht ben in dit schilderij,' zei hij met een zucht. 'Het was laat op de avond en ik zat op m'n kruk voor het zeegezicht...'

XV

Het laatste uur

Het is laat op de avond en Manke Tinus zit op zijn kruk voor het zeegezicht. Hij zit er al zo lang dat de tijd hem vergeten is. Naast hem wiebelt door de tocht een opgezette papegaai op zijn stokje.

De piraat wordt omringd door tientallen kisten in alle soorten en maten die uitpuilen van goudstaven, Spaanse dubloenen, sieraden, edelstenen, zilveren zwaarden, keizerskronen en andere kostbaarheden. Maar hij heeft slechts oog voor het schilderij. Geboeid staart hij naar de bruisende baren, de lichtende lucht en de duistere donderwolken.

Een schilderij waarin je kunt verdrinken.

Manke Tinus zit er elke dag, van 's ochtends vroeg tot diep in de nacht. Soms valt hij in slaap, maar meestal soest hij even weg en schrikt dan weer wakker. Hij taalt niet naar eten of drinken; het schilderij stilt zijn honger en lest zijn dorst. Gelukkig heeft hij een knecht die hem af en toe wat brengt, anders zou hij nog zonder het te weten de hongerdood sterven. De knecht is al oud, half blind en half doof, maar elke dag sjokt hij met knerpende knieën trouw alle trappen op en af om zijn baas te bedienen.

De zeerover is net aan het indommelen als er een enorme bel weerklinkt; een bronzen dreun die door merg en been gaat. Hij schiet overeind en kijkt verward om zich heen. Was het een droom? Maar dan galmt het geluid opnieuw door het huis. Het klinkt dringend.

Zo snel als hij kan hink-stapt Manke Tinus alle trappen af. In de keuken zit de knecht op zijn gemak alle laarzen van de piraat te poetsen. Hij kijkt niet op of om als zijn meester tegen de deur bonst. Dan maakt Manke Tinus een toeter van zijn handen en galmt: 'Hela! Hoor je het niet?'

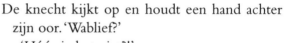

De knecht kijkt op en houdt een hand achter zijn oor. 'Wablief?'

'Hóór je het niet?!'

'Wat moet ik horen, baas?'

De bronzen bel luidt voor de derde keer.

'Dát!' roept Manke Tinus. 'Dat moet je horen!'

De knecht schudt zijn hoofd. 'Ik hoor nog steeds niks.'

'Dove kwartel!'

Geërgerd hink-stapt Manke Tinus naar de brede, massieve voordeur. Duisternis en kilte komen hem tegemoet als hij de deur opent. Kwaad wil hij vragen wie hem zo laat nog lastig durft te vallen. Hij wil terug naar het zeegezicht en zich verliezen in de golven. Maar de woorden sterven een stille dood op zijn lippen zodra hij zijn bezoeker ziet.

Het is een lange, magere gedaante, die van top tot teen is gehuld in een grauwe monnikspij. De kap hangt ver naar voren, waardoor het gezicht in de schaduw schuilgaat. In de ene hand houdt de bezoeker een scherpe zeis en in de andere een zandloper; bijna al het zand zit onderin en de resterende korrels glijden in een hoog tempo weg door de hals.

'Wie b-bent u? Wat komt u d-doen?' De piraat klinkt opeens onzeker. Hij vraagt zich af waar het geluid van de bel vandaan kwam, want op de voordeur zit alleen een koperen klopper.

'Ik ben de Grauwe Raper, maar ik heb veel namen,' zegt de gedaante met een stem als een klok. 'En ik kom je halen.' Hij houdt de zandloper omhoog en tikt ertegen met de zeis. Het geluid zingt rond als kristal. 'Want je laatste uur heeft geslagen.'

'Mijn laatste uur?'

De gedaante knikt.

Manke Tinus smijt de deur dicht en gaat er met zijn rug tegen aan staan. Hijgend veegt hij het zweet van zijn voorhoofd. Hij maakt een sprongetje als hij opeens zijn knecht tegenover zich ziet staan. 'Zag je dat?!' zegt hij als hij zijn stem weer terug heeft.

'Wat, baas?'

'Dat... dat *wezen* daarbuiten!'

'Ik zag niks, baas. Maar u weet hoe slecht m'n ogen zijn.'

'Je hóórde het toch wel?' vraagt Manke Tinus nu bijna wanhopig.

De knecht trekt met zijn schouders. 'Het spijt me, baas, ik heb ook niks gehoord. Het zal wel aan mijn oren liggen.'

Manke Tinus grijpt de man bij de armen en schudt hem heen en weer. 'Luister! Doe als de donder alle deuren en ramen op slot. Begrepen?!'

De knecht knikt.

'Alle grendels moeten dicht, balken voor de deuren, kettingen met een hangslot door het hang- en sluitwerk. In het hele huis. En de binnendeuren barricadeer je met de zwaarste meubels, zodat ze met geen mogelijkheid kunnen worden geforceerd. Is dat ook begrepen?' Hij tilt de knecht een eindje van de grond en duwt zijn neus bijna in diens gezicht.

'Da's ook begrepen, baas,' zegt de knecht, zonder zelfs maar met zijn ogen te knipperen.

Manke Tinus grist een donderbus van de muur. 'En komt-ie toch binnen, dan gebruik je deze maar.'

De knecht blikt in de loop van het geweer. 'Is-ie geladen, baas?'

'Natúúrlijk is-ie geladen! Je denkt toch niet dat ik hem zomaar voor het mooi aan de muur heb hangen?' Manke Tinus kijkt schichtig om zich heen. 'Ik ga nu naar boven. En ik wil niet gestoord worden!' Hij moet zich bedwingen om niet met twee treden tegelijk de trappen op te stormen. Maar zelfs al zou hij het willen, dan nog kan hij niet zo snel; zijn houten poot voelt meer dan ooit als een blok aan zijn been.

Af en toe werpt hij een blik over zijn schouder, bang dat hij een glimp van een grauwe pij zal opvangen. Maar niemand volgt hem. Eindelijk slaat hij dan met een zucht de zolderdeur achter zich dicht. Met veel moeite sleept hij een bejaard scheepskanon naar voren en richt het op de trap. Net als hij de kanonskogels ernaartoe wil rollen, voelt hij een kilte in zijn rug. Hij draait zich om en de adem stokt in zijn keel.

Want daar staat, alsof hij al een tijdje op Manke Tinus wachtte, de gedaante in de monnikspij.

'Maar... hoe...'

'Muren houden mij niet tegen,' zegt de Grauwe Raper. 'Wapens ook niet.' Weer houdt hij de zandloper omhoog; de bovenste helft is bijna leeg. 'Zullen we dan maar? Ik heb vandaag nog meer te doen...'

'Weet u... weet u zeker dat u míj moet hebben? Bent u niet eh in de war met iemand anders?'

'Nee,' klinkt het onverbiddelijk. 'Jou moet ik hebben. Het is je hoogste tijd.'

'Maar dat kan niet!' roept de piraat. 'Er is nog van-
alles wat ik moet doen!'
De Grauwe Raper haalt uit de plooien van zijn gewaad een boekje tevoorschijn. Het is in dof leer ge-
bonden en het ziet er stukgelezen uit. Bleke, beenderi-
ge vingers bladeren erdoorheen tot ze op de juiste
pagina zijn beland. 'Manke Tinus is oud en afge-
leefd,' leest de gedaante op zakelijke toon.
'Heeft de zeven zeeën bevaren, talloze gevech-
ten geleverd en onmetelijke rijkdommen vergaard. Doodt thans zijn dagen doelloos op zolder.'
'Hoe weet u dat allemaal?' vraagt Manke Tinus verbijsterd.
'Ik weet alles,' zegt de gedaante terwijl hij het boekje weer opbergt.
'Meer dan mij lief is...' Onzichtbare ogen staren naar de rillende rover.
Dan wordt hem een skeletachtige hand toegestoken. 'Kom. Op dit on-
dermaanse valt voor jou niets meer te halen...'
De piraat deinst achteruit. 'D-da's niet waar! Ik ken de zeven zeeën als
m'n broekzak, dat klopt. Maar er is één zee die mij haar geheimen nog
niet heeft prijsgegeven!' Hij knikt naar het zeegezicht dat helemaal
achterin staat, in het halfduister van de zolder.
'Een schilderij?' zegt de Grauwe Raper.
'Het is niet zomaar een schilderij. Het leeft! Jarenlang heb ik ernaar ge-
keken, maar nooit durfde ik de sprong te wagen, hoe graag ik dat ook
zou willen. Ik was bang dat ik mijn verstand zou verliezen.'
'De sprong? In het schilderij?'
'Weet u dat dan niet? Ik dacht dat u alles wist.'
'Dat dacht ik ook, maar van een levend schilderij had ik nog niet gehoord.' De Grauwe Raper lijkt oprecht verwonderd.
Manke Tinus krijgt een idee. 'Wilt u het niet eens van wat dichterbij
bekijken?' Hij doet een paar stappen in de richting van het zeegezicht.
De Grauwe Raper kijkt naar de zandloper en knikt. Dan zweeft hij
over de grond, alsof hij rolschaatsen draagt onder zijn gewaad. Hij legt
de zeis op een stapel kisten met goud en de zandloper zet hij naast zich
neer. Dan buigt hij zich over het zeegezicht.
Onhoorbaar sluipt Manke Tinus naar het schilderij, tot hij vlak achter
zijn ongenode gast staat.
'Interessant,' prevelt deze. 'De golven bewegen en de wolken glijden
langs de lucht. Ik hoor zelfs geruis. Het riekt naar tover...' De Grauwe

Raper buigt zich nog verder voorover tot zijn kap zich vlak bij het zee-tafereel bevindt. Knokige vingers strijken keurend langs het doek.

Manke Tinus geeft de gedaante een harde zet. De Grauwe Raper valt met een bons tegen het doek aan en veert weer terug.

Het duurt even voordat het tot de zeerover doordringt, maar dan begrijpt hij het. De gedaante komt er niet doorheen; het zeegezicht laat hem niet toe! Manke Tinus grist de zandloper van de vloer, maar de hand van de Grauwe Raper klemt zich als een bankschroef om de zijne. Het is de hand van een skelet, desondanks gaat er een onmenselijke kracht van uit. De piraat voelt een doodse adem langs zijn gezicht strijken. Hij durft niet op te kijken, maar als hij het uiteindelijk toch doet, kijkt hij recht in twee gapende oogkassen. Manke Tinus slaakt een gil en rukt zijn hand los. Met de zandloper stevig tegen zich aan gedrukt, waagt hij de sprong.

XVI

Droomtocht

'Ik kwam in de zee terecht,' ging Manke Tinus verder. 'En meteen werd ik door een draaikolk onderwater gezogen. Ik dacht dat het met me gedaan was. Maar toen ik m'n ogen weer opendeed, lag ik in een kleine grot.'

Bertus en ik keken elkaar even aan.

'Door een krappe opening, waarin ik bijna bleef steken als een worst in een te krap velletje, kwam ik terecht in een grote ruimte, verlicht door fakkels. Er waren bendes schilderijen en toen zag ik iets wat m'n hart deed stilstaan...' De piraat slikte moeilijk.

'Het zeegezicht,' zei mijn neef. 'Nou ja, de kopie ervan.'

Manke Tinus werd bleek en staarde naar Bertus alsof mijn neef een geest was. 'Hoe... hoe weet jij dat?'

'We komen er net vandaan,' legde ik uit.

'O. Nou, dan weten jullie ook dat daar meer van die betoverde dingen hangen. Algauw viel m'n oog op een klein schilderij dat nog niet helemaal af was. Een prachtige driemaster.' Manke Tinus kreunde verlekkerd. 'Zo'n mooi schip had ik nog nooit gehad en ik heb in m'n leven heel wat fraaie vaartuigen geënterd, dat kan ik jullie wel vertellen. Het was zwart als de nacht en het leek op mij te wachten en...' Hij zweeg.

Toen het zwijgen een paar minuten geduurd had, begon Bertus onrustig heen en weer te schuifelen en te kuchen.

'En toen?' vroeg ik gauw. 'Wat gebeurde er toen?'

De ogen van de zeerover kregen een glazige uitdrukking. 'Ik werd ernaartoe getrokken als een magneet,' vervolgde hij. 'Met m'n hand gleed ik langs het doek en opeens verdween m'n hele arm erin. Voor ik het wist, stond ik op dit dek. Er was geen wind, geen water, geen lucht. Alsof het een schip in een fles was. En toen zag ik het roer...'

Opnieuw viel hij stil.

'En toen pakte u het beet,' zei Bertus.

Manke Tinus schudde het hoofd. 'Nee, maatje. Het roer pakte míj beet.

Nou ja, zo voelde het. Het schip had mij als haar kapitein gekozen, ik had geen keus. Maar het was heerlijk om na al die jaren weer aan het stuur van een schip te staan. En wát voor schip...'

'Maar u kon nergens naartoe,' zei ik. 'Er was geen wind en geen water. Het schip hing in het niets.'

'Dat is zo, maar het vreemde is dat ik voor mijn gevoel eindeloos heb gevaren. Ik sloot mijn ogen en ik zeilde naar de uithoeken van de wereld. Wonderlijke eilanden bezocht ik, waar stammen woest schreeuwend dansten om beelden van gruwelijke goden. Ik zag de vreemdste dieren, waarvan ik niet wist dat ze bestonden - ziedende zeemonsters met tanden, hagedissen zo groot als een olifant, en luizen als kamelen - en op de zeebodem vond ik schatten schitterend als nooit tevoren...'

'Dus het was een droom,' constateerde Bertus.

Manke Tinus zuchtte. 'Een droom waaruit ik nooit meer wakker had willen worden, maatje...'

'En toen?' vroeg ik.

'Toen stonden jullie voor m'n neus.'

'Da's maar goed ook,' zei ik, 'want uw zandloper is leeg.'

'De zandloper!' Manke Tinus loeide als een gewonde zeekoe. 'Waar is m'n zandloper?!'

Ik knikte naar de plek naast zijn houten poot. 'Daar staat-ie.'

De piraat graaide de zandloper van het dek en draaide hem vliegensvlug om. Het zand begon weer te stromen. 'Dat was op het nippertje!'

'Hoe lang duurt het voordat de zandloper leeg is?' vroeg ik.

'Precies een uur. Mijn láátste uur,' voegde de piraat er huiverend aan toe. 'De hele tijd stroomt mijn laatste uur door dat glas, keer op keer. Als ik het niet op tijd omdraai, is het met me gedaan!'

'Dat is maar de vraag,' mompelde Bertus. 'Volgens mij hebt u veel langer achter dat roer gestaan dan een uur... En toch leeft u nog.' Hij keek peinzend voor zich uit en ik wist dat hij weer iets ontzettend vreselijk heel erg slims ging zeggen. Iets waar ik natuurlijk weer niet op gekomen was.

'De Grauwe Raper kan het zeegezicht niet binnenkomen,' begon hij. 'Dat klopt toch, meneer Tinus?'

'Ja, dat klopt. Hoezo?'

'Nou, als hij niet in het schilderij kan komen, kan hij u ook niet halen. Of die zandloper nou vol of leeg is. Of kapot!'

Manke Tinus dacht even na. 'Daar zit wat in,' zei hij toen. 'Toch neem ik liever het zekere voor het onzekere.'

'Maar ik kan het bewijzen!' riep Bertus. 'Let maar eens op.' Hij griste de
zandloper uit de hand van de rover en smeet het ding overboord.
Het glas sloeg aan diggelen tegen de scheepsromp.
'Wat heb je nou gedaan!' Manke Tinus brulde als een gewond dier. 'Het
is afgelopen met me! Dit is het einde!'
Ik hield een paar tellen mijn adem in, maar Manke Tinus ging gewoon
door met ademhalen. Zijn gezicht werd niet eens paars.
Bertus keek triomfantelijk.
'Je... je hebt gelijk, maatje,' prevelde de zeerover na een tijdje. 'Ik leef
nog... Hoe is het mogelijk?' Hij slaakte een vreugdekreet en maakte
een rondedansje. 'Hoera! Ik leef nog! Ha ha ha! De Grauwe Raper
heeft me niet in z'n klauwen gekregen!'
'Ik bedenk net ook wat,' zei ik toen het gejoel was bedaard. Nu kon ík
eens met iets snuggers voor de dag komen!
Maar Bertus was me te snel af. 'Als de Grauwe Raper Manke Tinus niet
kan halen,' ratelde hij opgewonden, 'kan hij niemand halen. Iedereen in
dit schilderij is *onsterfelijk*!'

'Dat wilde ik net zeggen,' mompelde ik.

'Maar dan hoeven we ook niet te eten!' ging Bertus verder. 'We kúnnen niet doodgaan in het zeegezicht, dus ook niet van de honger.'

Opeens viel mijn neef stil. Hij zat natuurlijk met dezelfde vraag als ik en daar had hij geen antwoord op.

Ik kon het niet laten. 'Waarom hebben we dan trek?' vroeg ik. 'Waarom eten we pannenkoeken en kokosnoten als we geen eten nodig hebben?'

Daar had ik hem!

'Tja eh, dat weet ik niet hoor.'

Ik zette mijn handen demonstratief in m'n zij en het doek rolde onder mijn arm vandaan.

Manke Tinus keek achterdochtig. 'Wat heb je daar?'

'Da's een schilderij,' zei ik, terwijl ik het opraapte. 'Guldenstern, Kanaille en Rapalje zitten erin. Een valstrik van de dwerg.'

Bertus grijnsde. 'Ja, de roversbende is eindelijk opgerold!'

'We moesten het wel meenemen,' zei ik. 'Anders zou de dwerg iets vreselijks met ze hebben gedaan. Hopelijk weet oom Balthasar hoe de rovers weer uit het schilderij kunnen komen.'

'Pannenkoeken? Opgerolde rovers? Oom Balthasar?' vroeg Manke Tinus met gefronste wenkbrauwen. 'En waarom lopen jullie in je ondergoed rond?'

'Dat ís geen ondergoed!' zei Bertus. 'Het is een...'

Het werd tijd om het een en ander uit te leggen. En dat deden we.

Toen we klaar waren met ons verhaal, knikte Manke Tinus naar het rekje dat Bertus nog steeds vasthield. 'Dus dát is het geheim van de levende schilderijen, huh? Bloed, zweet en tranen?'

'Ja,' zei ik. 'En oom Balthasar moet het zo snel mogelijk hebben.'

'Wat wil hij er dan mee doen?'

'Geen idee,' zei Bertus. 'We weten niet eens waar hij is. Hij verdween vlak voordat we in de grot terechtkwamen.'

'Hier ben ik,' zei een bekende stem. 'En geef mij dat rekje maar!'

XVII

Het betoverde bal

Het was oom Balthasar. Hij stonk naar verf.

'Waar komt u zo opeens vandaan?' vroegen wij. 'En wat is er met u gebeurd toen we in de grot kwamen?'

'Geen tijd!' Oom Balthasar griste het rekje uit Bertus' vingers en tuurde naar de lucht. 'Het wordt duister, de dansers komen dra.'

'Duister?' zei Bertus.

We keken omhoog. De hemel betrok, alsof het na een enorm lange dag opeens nacht werd. Maar dan een zonder maan en sterren.

'Hoe kan dat?' vroeg ik.

'De dwerg,' zei oom Balthasar kortaf. 'Hij kan de tijd vertragen of versnellen. Het duister is een donker teken.' Hij keerde zich van ons af.

'Wacht!' riep Bertus. 'Wie zijn die dansers?'

'En de rovers...' begon ik.

Maar even plotseling als hij was gekomen, was oom Balthasar weer verdwenen.

'Ik héét geen Melchior,' mompelde Bertus tegen de duisternis die ons van het ene op het andere moment omhulde. Toen keek hij naar mij.

'Wat betekent *dra* eigenlijk?'

'Da's kort voor *weldra*, een ouderwets woord voor spoedig.' Dat wist ik omdat ik wel eens jongensboeken van mijn overgrootvader las, die bij ons thuis in een oude koffer lagen te verstoffen.

'Waarom zegt-ie dan niet gewoon *spoedig* of zoiets?'

'Omdat oom Balthasar van vroeger komt.'

'O,' zei Bertus. 'Is dat het.'

'D-daar!' riep Manke Tinus opeens.

Het was nu zo donker dat we hem nauwelijks meer zagen staan. Ik kon Bertus amper zien en hij was vlak naast me.

'Waar?' vroegen wij verwonderd.

Manke Tinus hapte naar lucht en riep: 'Op het water! Dwaallichten! Geesten van verdronken zeelieden!'

Ik tuurde in de verte en toen zag ik het. Over het nu inktzwarte water dansten lichtjes.

De piraat huiverde. 'We moeten als de d-donder hiervandaan. Trossen los, licht het anker, hijs de zeilen!'

'Dat zijn geen dwaallichten,' zei Bertus. 'Het zijn lantaarns.'

De lichtjes kwamen steeds verder onze kant op en ze leken ook dichter bij elkaar in de buurt te komen, alsof ze elkaar opzochten.

'Lantaarns?' zei Manke Tinus, nog steeds niet op zijn gemak. 'Midden op zee? Dat zijn to-toverlantaarns!'

'Nee hoor, kijk maar eens goed.' Ik wees.

Bij het licht van de verzamelde lantaarns was nu duidelijk te zien dat er diverse roeibootjes op het water dobberden. In ieder bootje zaten mensen en in elke boot hield iemand een lantaarn vast.

Bertus zwaaide. 'Ahoy!'

Niemand zwaaide terug.

Mijn neef haalde zijn schouders op. 'Nou, dan niet,' mompelde hij. 'Stelletje stijve harken!'

'Waar komen die bootjes vandaan?' vroeg Manke Tinus zich hardop af.

Bertus tuurde over de reling. 'Van dit schip,' zei hij toen.

Ik keek hem ongelovig aan. 'Hoe kan dat nou? Daarnet hingen ze er nog!' Maar hij had gelijk. Natuurlijk had hij weer eens gelijk.

'Wacht eens...' zei Bertus. 'Oom Balthasar zei toch dat de dwerg gerommeld heeft met de tijd? Het werd opeens nacht. De tijd is versneld, dus intussen kunnen die bootjes best zijn uitgevaren om die mensen op te halen. Zonder dat wij er iets van merkten.'

'Maar die bootjes kunnen toch niet vanzelf...' begon Manke Tinus.

'Stil!' siste Bertus. 'Luister!'

We spitsten onze oren.

Van over het woeste water kwam op de wind een ijle melodie aangezweefd; betoverende tonen die zich om ons heen weefden als een onzichtbaar koord. Steeds strakker werd het aangetrokken, tot we ons nauwelijks meer bewegen konden.

'Vingers in je oren,' riep ik. 'Vlug!'

Met veel moeite lukte het Bertus en mij om onze armen omhoog te brengen en onze vingers in onze oren te stoppen, zodat we het hypnotiserende geluid konden buitensluiten. Op hetzelfde moment verslapte het koord en konden we ons weer vrij bewegen. Bertus gaf mij een por met een elleboog en knikte naar Manke Tinus.

De piraat had zich niet kunnen losrukken van de betovering en was opnieuw in een standbeeld veranderd. We konden hem niet helpen. Zodra we onze vingers uit onze oren haalden, zouden we opnieuw in de ban van de muziek komen en ditmaal misschien wel voor altijd.

De bootjes waren nu vlak bij het schip gekomen. Ik gebaarde naar Bertus dat we ons moesten verstoppen. We kropen achter een stel tonnen en hielden de reling nauwlettend in de gaten.

Kennelijk hing er een touwladder, want even later klemden zich twee handen om de rand. Een bolle gestalte hees zich eroverheen. Boven de reling verscheen nu een andere hand die de duistere figuur een lantaarn aanreikte. Toen de figuur hem aanpakte, konden we eindelijk zijn gezicht zien.

Ik onderdrukte een kreet.

'Majoor Karelse!' fluisterde Bertus.

In zijn ogen lag een vreemde, afwezige blik, alsof hij slaapwandelde. Gewapend met de lantaarn ging de majoor stram in de houding staan. Toen dook er een lange man op, onmiddellijk gevolgd door een dikke. Ze droegen allebei alleen een witte hansop.

Bertus gaf me een por. Toen ik naar hem keek, vormden zijn lippen zwijgend twee namen: *Van Gendt en Loos.*

Ik knikte.

De soldaten hadden dezelfde leegte in hun ogen als de majoor. Lange Loos nam de lantaarn weer van hem over en ging op diens plaats staan. Dikke Van Gendt had er ook eentje bij zich en posteerde zich tegenover zijn makker. De militairen leken wel een erewacht.

Na een tijdje kwam er weer een hoofd boven de reling uit. Een hoofd met lange donkere haren, waarop koket een strooien hoedje prijkte met een lint eraan. Loos hielp haar over de rand heen te klimmen en Van Gendt stak zijn hand uit om een tweede dame te helpen.

Weer een por.

Ditmaal knikte ik zonder Bertus aan te kijken. *Amélie en Dorothée.*

Iedereen die we in het zeegezicht waren tegengekomen, was nu aan boord. De drie rovers zaten immers in het opgerolde schilderij dat ik bij me droeg. Maar Van Gendt en Loos bleven staan, alsof ze nog meer mensen verwachtten. Even later verscheen er een mager heerschap met boven de strakke mond een harig streepje. Na hem volgde een hele trits mannen en vrouwen, allen gehuld in avondkleding en blinkend van de sieraden. Er zaten ook wat minder sjiek geklede lieden tussen;

waarschijnlijk personeel. Het gezelschap voegde zich bij de twee zusjes die achter de majoor stonden en wachtte gedwee, zonder zelfs maar te kuchen of te schuifelen.

Voor zover ik kon zien, zaten oom Melchior en tante Martha er niet tussen. Ik vroeg me af wat Bertus' ouders met het schilderij gedaan hadden. Ze moesten toch gezien hebben dat er iets vreemds mee was. De soldaten liepen naar een takel die aan de zijkant van het schip was bevestigd. Met z'n tweeën begonnen ze aan een grote slinger te draaien en piepend en krakend kwam de takel in beweging. Een dikke kabel rolde zich om de katrol en na een tijdje doken er drie bepruikte hoofden op. Na nog wat flinke zwiepers aan de slinger hing het roeibootje waarin de mannen zaten op gelijke hoogte met Van Gendt en Loos.

Het waren muzikanten. Ze droegen fraaie kostuums en witte pruiken met een staartje. Zonder op of om te kijken, gingen ze door met het bespelen van hun instrumenten - een viool, een cello en een klavecimbel. Het paste allemaal maar net in het bootje.

De majoor klapte twee keer kort in zijn handen. Degenen die een lantaarn vasthielden, hingen deze aan haken in de masten of zetten ze op het scheepsdek neer. Vervolgens splitste de groep zich in twee rijen; de mannen gingen tegenover de vrouwen staan. Omdat er meer mannen waren dan vrouwen, kregen sommige mannen een man tegenover zich. De twee rijen maakten een kleine buiging naar elkaar, pakten elkaars hand vast en begonnen te dansen.

Bertus en ik keken met grote ogen toe terwijl iedereen als gehypnotiseerd over het scheepsdek zwierde en wervelde. Af en toe dook er een bekend gezicht op in de dansende menigte.

Zo zagen we de majoor, die door een omvangrijke dame was geënterd, en bijna gesmoord werd in de plooien van haar enorme japon. Ook vingen we een glimp op van Amélie, die geleid werd door het heertje met de streepjessnor. Dorothée bevond zich in de armen van een man met een zilverwitte snor en bakkebaarden. Van Gendt danste met een dienstertje en Loos hupste met een huisknecht.

Opeens was daar de dwerg.

Hij stond een eindje bij de menigte vandaan op een kleine verhoging en hield Kletskop in zijn handen. Zijn kakellachje en snerpende stem waren zelfs voor Bertus en mij hoorbaar. 'Wel-

kom, dwaze dansers!! Dans tot jullie een ons wegen! Jullie hebben een eeuwigheid de tijd en ik zal van elke seconde genieten!'

Het doodshoofd keek langs de dansers onze kant op. Zijn blik leek door alles heen te boren. Ik keek naar Bertus en zag dat hij hetzelfde gevoel had. Onzin natuurlijk, Kletskop was al jaren dood. Maar voor alle zekerheid doken we iets verder weg achter de tonnen.

De dansers bleven onvermoeibaar rondjes draaien op muziek die wij niet konden horen. Ze bleven precies binnen het oppervlak dat door de lantaarns was afgebakend, alsof er rondom hen een onzichtbare muur was opgetrokken. Van hun gezichten viel niets af te lezen; het waren net marionetten die door iemand anders bestuurd werden.

'Jullie kijken wel als houten klazen uit je doppen,' zei de dwerg schamper, 'maar ik weet dat jullie alles kunnen horen wat ik zeg. Jullie kunnen alleen niks terugzeggen. Hè hè hè! Jullie kunnen zelfs niet boos worden, nog geen traan kunnen jullie laten. Dat is mijn wraak. Zolang de muziek speelt, móéten jullie dansen. En de muziek zal altijd blijven spelen...'

Zijn nare kakellach bezorgde me de rillingen, samen met de blik van Kletskop. Ik vroeg me af waar oom Balthasar al die tijd bleef. Waar was hij toch mee bezig? Straks was het te laat. Moesten we niet langer op hem wachten en zelf iets gaan doen? Maar wat?

Opeens merkte ik dat de druk die ik de hele tijd gevoeld had, weg was. Alsof een dreigende onweerswolk plotseling was overgewaaid. Ik keek op en zag dat de dwerg de schedel naar zich toe had gekeerd, zodat hij hem recht in de lege oogkassen kon zien.

'Vriend, zullen we deze dwaze dansers vertellen waarom ze voor ons moeten optreden? Daar hebben ze wel recht op, niet?'

Kletskop leek te knikken, maar dat kwam natuurlijk doordat de dwerg de schedel op en neer bewoog.

Dat hoopte ik tenminste.

'Goed. Zal ik dan het woord maar doen?'

De schedel knikte opnieuw.

De dwerg haalde diep adem en begon aan zijn verhaal. 'Sinds ik het zeegezicht had verkocht, had ik in geen weken een penseel aangeraakt...'

XVIII

De dansende dwerg

Sinds de dwerg het zeegezicht heeft verkocht, heeft hij in geen weken een penseel aangeraakt. Dag in dag uit staart hij naar het witte doek dat op de schilderezel staat. Op de lijsten, de schilderijen, op alle schilderspullen heeft zich intussen een laag stof verzameld.

Laat in de middag wordt er op de deur gebonsd.

'Doe open!' brult een mannenstem. 'Anders trappen we je deur in!'

De dwerg haast zich naar de gang. Nauwelijks heeft hij de sleutel omgedraaid, of de deur vliegt open.

Tegen het daglicht staat groot en donker de gestalte van een militair. Hij vult de hele deuropening en kijkt met een donderblik op de dwerg neer. 'Wat heb je met ze gedaan?!'

'Waarmee?' vraagt de dwerg verwonderd. 'Gaat het over mijn schilderijen? Bent u niet tevreden over de kwaliteit? Laat het vernis los, bladdert de verf, is de gelijkenis niet treffend genoeg?'

'Schilderijen?!' De militair hapt verbijsterd naar adem. 'Wat kan mij dat verrekken! De majoor en zijn manschappen, dáár gaat het over! Ze gingen hiernaartoe om dat schilderij voor de generaal op te halen. Sindsdien hebben we niks meer van ze gehoord. Ze zijn in het niets opgelost!'

'In het niets?'

'In het niets ja! En doe maar niet of je nergens van weet, onderkruipsel!' Hij veegt de dwerg bruut opzij en stormt de gang in. 'Mannen, doorzoek de hele handel!'

Achter zijn brede schouders duiken twee schriele soldaten op met een sabel aan hun zij en een geweer met bajonet op hun rug. Aarzelend zetten ze een voet over de drempel, alsof het zwemmers zijn die met hun tenen testen of het water niet te koud is.

'Nou, waar wachten jullie op!' bast hun baas. 'Geloven jullie de praatjes die ze over hem rondstrooien? Denken jullie dat-ie kan toveren?'

'N-nee, natuurlijk niet,' zeggen de soldaten snel.

'Opschieten dan. Hup twee!'

'Jawel, luitenant! Onmiddellijk, luitenant!'

De dwerg rent op zijn korte beentjes achter hen aan. 'Wacht!' hijgt hij. 'Ze zijn hier geweest, dat klopt, maar ze hebben het schilderij meegenomen. Daarna heb ik ze niet meer gezien...'

De luitenant plukt hem van de grond. 'Je liegt dat je zwart ziet!' Hij spuugt de woorden een voor een uit, als druivenpitjes. 'Honderd florijnen was niet genoeg hè? Je hebt ze van kant gemaakt en toen hun geld ingepikt.'

Het mannetje schudt hevig zijn hoofd. 'Ik had ze het schilderij desnoods voor niks meegegeven. Het moest hier weg, het deugde niet.'

'Pha! Dat geloof ik graag!' zegt de luitenant met een bittere lach. 'Het leek natuurlijk nergens op.'

'Het leek juist te goed!' protesteert de dwerg. 'Te echt. Gevaarlijk echt zelfs. Ik heb de majoor nog gewaarschuwd, maar hij stond te zwak in zijn schoenen en wilde niet luisteren...'

'Waaat! Durf jij de majoor nog te beledigen ook?' De enorme luitenant brengt zijn hoofd vlak bij dat van de dwerg. 'Waar zijn ze?' sist hij door opeengeklemde tanden. 'Heb je ze de nek omgedraaid en ze toen in de plomp gedouwd? Of heb je ze in mootjes gehakt en aan de ratten gevoerd? Zeg op!!'

'Dat heb ik al gezegd. Ze zijn met het schilderij vertrokken en ik heb ze niet meer gezien...'

De luitenant laat hem vallen als een baksteen.

'Mannen, verdachte weigert te antwoorden. Haal de boel overhoop. Zoek naar aanwijzingen! Tanden, knopen, vingernagels... alles wat ons op het spoor van de majoor en zijn manschappen kan zetten.'

'Jawel, luitenant! Onmiddellijk, luitenant!'

'En laat geen spaan van deze zooi heel!'

'Jawel, luitenant! Onmiddellijk, luitenant!'

Voorzichtig steken de soldaten hun bajonet in een doek dat tegen de muur staat, alsof ze in een cake prikken om te kijken of hij al gaar is. Met hun sabel lichten ze een schilderij op en werpen er snel een blik achter. 'Niks te vinden, luit,' zeggen ze gauw.

'Wat is dat voor damesgedoe!' buldert hun meerdere. 'We zijn hier potdorie niet op theevisite!'

De soldaten kijken hem schichtig aan. 'Maar het zijn allemaal van die enge dingen...'

'Enge dingen? Hoezo enge dingen?'

Ze wijzen op een niet-ingelijst schilderij waarop een lege kamer te zien is, waar schuin een schaduw overheen valt. 'D-dit bijvoorbeeld. In die kamer gaat zo d-dadelijk iets engs gebeuren...'

'Onzin!' bromt de luitenant. 'Het is maar een schilderij! Daar gebeurt helemaal niks in! Da's verfgeklodder en meer niet.'

'Moet u dit dan eens zien...' De soldaten knikken naar een schilderij dat aan de muur hangt; een ondoordringbaar, donker bos.

'Da's gewoon een bos,' verzucht de luitenant.

De soldaten schudden hun hoofd. 'Het is een éng bos. Een bos waarin hele enge dingen zijn gebeurd en nog engere dingen gáán gebeuren...'

'En nu heb ik er genoeg van! Moet ik dan alles zelf doen?!' De luitenant pakt zijn geweer met bajonet van zijn rug en gaat als een wildeman tekeer, terwijl zijn manschappen verbijsterd langs de kant staan.

Machteloos moet de dwerg aanzien hoe schilderijen van de wanden worden gerukt, doeken worden doorstoken met een bajonet en lijsten doormidden gebroken.

Als de luitenant is uitgeraasd, is het atelier één grote puinhoop. Maar hij heeft niets van de majoor gevonden. Nog geen snorhaar.

Hijgend leunt hij op de kolf van zijn geweer. 'Ik geef je een laatste kans, dwerg... Wat heb je met de majoor gedaan?'

'Er is maar één mogelijkheid,' mompelt de dwerg voor zich uit.

De luitenant houdt een hand achter zijn oor. 'Wat zei je daar? Ik verstond je niet.'

'Ze zijn in het schilderij verdwenen...'

Even is de luitenant stil. Griezelig stil.

De soldaten kijken hem vol angst en beven aan.

Dan begint het te rommelen, ergens binnen in hun meerdere. Het gerommel van een vulkaan vlak voor de uitbarsting.

'IN HET SCHILDERIJ? DENK JE DAT IK DAT GELOOF!!' Hij schreeuwt zo hard dat zijn eigen oren ervan tuiten.

'Nee,' zegt de dwerg, 'dat denk ik niet. Toch is het zo.'

'Dat zullen we nog wel eens zien!' De luitenant neemt een grote kaars uit een van de metalen houders en zwaait deze heen en weer voor het gezicht van de dwerg. 'Als jij me nu niet vertelt wat je met ze gedaan hebt, steek ik de boel in de fik. Dan heb je niks meer!'

Een van de soldaten steekt voorzichtig een vinger op. 'Euh, misschien is dat niet zo'n goed idee...'

Zijn makker knikt. 'Hij heeft gelijk, luit. Als dit huis afbrandt, staat in een ommezien de hele buurt in lichterlaaie.'

'Hm, dat is zo.' De luitenant kijkt peinzend. 'Goed, dan pakken we het anders aan.' Hij gebaart om zich heen. 'Sleep alles naar buiten, gooi het op een stapel en dan... de vlam erin!'

Een tijdje later ligt er midden op straat een grote stapel schilderijen schots en scheef door elkaar. De hele buurt is uitgelopen om te zien wat er gaande is en diverse mensen wijzen naar de dwerg, die door de twee soldaten onder schot wordt gehouden. Kinderen dansen om de stapel heen en zingen liedjes. Door de ouderen wordt druk gepraat.

'Kijk, daar heb je dat misbaksel!'

'Gaan ze 'm nou boven z'n eigen prutswerk roosteren?'

'Dat zal me een lekker luchtje geven!'

'Ik heb altijd al gezegd dat-ie niet deugt.'

'Tis een duivelskunstenaar.'

'Tis een gedrocht.'

'Gelijk heb je. Opgeruimd staat netjes.'

De luitenant staat met een kaars vlak bij de stapel. 'Ga je me nog vertellen wat er gebeurd is, dwerg?'

Maar de dwerg blijft zwijgen en kijkt met een strakke blik naar zijn dierbare schilderijen.

Grijnzend gooit de luitenant de kaars op de stapel. De schilderijen vatten meteen vlam en de toeschouwers joelen uitgelaten.

Opeens roept iemand: 'Dans, dwerg, dans!'

Algauw klinkt de kreet uit tientallen kelen: 'Dans, dwerg, dans! Dans, dwerg, dans! Dans, dwerg, dans!!'

Mensen - zowel de grote als de kleine - pakken brandende stukken lijst uit de stapel en gaan om de dwerg heen lopen. Op een teken van de luitenant maken de soldaten zich uit de voeten. Af en toe doen de mensen met het brandende hout een uitval naar de dwerg, die naar achteren deinst, waar hij weer door een ander met vlammen wordt belaagd. Hij springt op en neer en heen en weer om te ontsnappen aan de maaiende vuurstokken.

'Kijk eens, hij maakt een rondedansje! Ha ha ha!'

'Dans, dwerg, dans! Dans, dwerg, dans!'

'Hé, moet je eens zien wat ik hier heb!' roept iemand. Hij houdt een schedel omhoog die hij tussen de schilderijen vandaan heeft gehaald. 'Hier, vangen!' De man gooit het doodshoofd naar een van de kinderen, die het weer naar een ander kind overgooit.

Dan gebeurt er iets waardoor iedereen zijn adem inhoudt.

Uit de walmen die opstijgen van de brandende schilderijen, maken zich opeens grote, spookachtige gedaantes los. Ze zweven weg van het vuur en verspreiden zich over de verschrikte menigte.

Hier en daar klinkt een kreet. In paniek maken de mensen dat ze wegkomen en algauw zijn alleen de dwerg en de drie militairen nog over.

'Wegwezen!' commandeert de luitenant. 'Neem de gevangene mee!'

De rookwezens lijken log en traag, maar ze verplaatsen zich vliegensvlug en de vier zijn in een oogwenk omsingeld.

'Ze moeten ons hebben, geloof ik,' mompelt de ene soldaat.

'Lijkt er wel op,' prevelt de andere.

Een van de wezens torent dreigend boven de luitenant. 'Ga weg!' brult hij, met angstogen omhoogkijkend. 'Ga weg of... of ik schiet!' Hij pakt zijn geweer en kromt een trillende vinger om de trekker.

De twee soldaten laten de gevangene aan zijn lot over en verschuilen zich achter hun meerdere. Ze maken zich zo klein mogelijk, in de hoop dat de rookmonsters hen met rust zullen laten.

PANG! Het schot weerkaatst tussen de huizen. De kogel zoeft dwars door het monster heen en boort zich in een muur aan de overkant.

De luitenant kijkt ongelovig naar zijn geweer. 'D-dat k-kan niet!' stamelt hij ontzet. 'D-dat is onmogelijk!' Hij richt het wapen opnieuw.

Maar voordat hij nog een schot kan lossen, slaat het wezen twee enorme armen van rook om hem heen. Er klinkt een gesmoorde kreet. Als het wezen even later een stap terug doet, is de luitenant verdwenen.

'Hij is in rook opgegaan,' zegt de ene soldaat met een bleek gezicht. 'Wat moeten we nou?'

'Wegwezen?' oppert de andere.

Ze kijken elkaar aan en maken zich uit de voeten.

Angstig kijkt de dwerg naar de rookwezens. Maar dan zweven ze terug naar het vuur en versmelten weer tot een zwarte walm.

Hij wrijft zich in de ogen en kijkt verwonderd om zich heen. Kwamen die monsters echt uit zijn brandende schilderijen? Om hem te redden?

Dan ziet de dwerg een handkar, achtergelaten door een van de weggevluchte toeschouwers.

'Ik moet ervandoor,' mompelt hij. 'Hier kan ik niet blijven. Straks komen ze terug en dan ben ik mijn leven niet zeker. Maar waar moet ik naartoe?' Op hetzelfde moment weet hij het antwoord.

Hij laadt de handkar vol met alle spullen die aan het vernietigende optreden van de luitenant ontkomen zijn. Op zijn vliering ligt nog een hele stapel lege doeken en lijsten en in een grote kast vindt hij nog een voorraad penselen, verf en terpentijn. Met een dik touw bindt hij de wiebelende stapel zo goed mogelijk vast op de kar.

Dan valt zijn oog op de schedel, die de spelende kinderen vlak naast het vuur hebben laten vallen. 'Kletskop!' De dwerg grist het doodshoofd van de grond en bezorgd bekijkt hij het van alle kanten. Het is nog helemaal gaaf, alleen een tikje geblakerd door het vuur. Met zijn mouw veegt hij de schedel weer schoon en legt hem dan voorzichtig op de kar. 'Niet eraf vallen hoor!' waarschuwt hij.

Als het donker is, gaat hij op pad.

Nadat hij een tijdje gelopen heeft met de krakende kar, ziet hij een kroeg. HET EERLIJK ZEEMANSGRAF staat er op het uithangbord, boven een afbeelding van een bleke hand die uit blauw water steekt. Hij zet de kar in een steegje ernaast en loopt naar de deur, waar hij eventjes voor blijft staan om moed te verzamelen. Dan gaat hij naar binnen.

Het is er donker en rokerig, maar op dit tijdstip is er niet veel volk. Op een krukje zit een oude zeebonk, die hem argwanend aankijkt.

'Wat mot je hier, dwerg?' klinkt het onvriendelijk.

'Hebt u een schilderij gezien? Drie soldaten liepen ermee over straat, een tijdje geleden. Zijn ze hier langs geweest?'

'Een schilderij? Hier?' Ondanks zichzelf barst de zeebonk in lachen uit. 'Dan ben je aan het verkeerde adres! Kunst, daar doen we hier niet aan. Da's voor watjes, niet voor stoere zeelui. En soldaten komen hier al helemaal niet.' Hij kijkt de dwerg donker aan. 'Die zouden de kroeg namelijk nooit meer verlaten, behalve in een houten kissie...'

De dwerg rilt en wil rechtsomkeert maken, als opeens uit een alkoof een lijzige stem klinkt.

'Wat heb je d'r voor over?'

De dwerg draait zich om en ziet een man met een hangsnor. De man kijkt sluw uit zijn ogen en wenkt hem naderbij.

'Weet u dan waar het schilderij is?'

'Het zeegezicht?' De man knikt. 'In ruil voor iets waardevols vertel ik het je.'

De dwerg haalt een kleine edelsteen tevoorschijn. 'Deze draag ik altijd op mijn hart. Mijn overgrootvader heeft hem eigenhandig gedolven en geslepen. Iets waardevollers dan dit heb ik niet.'

De man houdt de steen tegen het licht van een druipkaars. Er kruipt een glimlach over zijn gezicht. 'Vakwerk,' zegt hij, zichtbaar onder de indruk. Hij brengt zijn mond bij het oor van de dwerg en fluistert: 'Manke Tinus heeft het gekocht, een paar weken terug. Van een stel rovers. Hij woont in een hoog huis op een heuvel, een paar kilometer hiervandaan.' Met zijn hand geeft hij aan welke kant de dwerg op moet. 'Maar let op. Die knecht van hem is zo doof als een gootsteen. Dus als je binnen wilt komen, moet je op de deur bonken en hard schreeuwen. Anders hoort-ie niks.'

'Bedankt,' mompelt de dwerg. Hij werpt nog een laatste blik op de glimsteen en vertrekt.

'Rovers?' zegt hij verbaasd tegen zichzelf als hij weer op pad is. 'Hoe zijn die nou aan het schilderij gekomen?'

Vanwege zijn korte beentjes en de zwaarbeladen kar, duurt het een tijd voordat de dwerg het huis van de piraat heeft bereikt. Met een laatste krachtsinspanning duwt hij de kar de heuvel op. Voor de deur met de koperen klopper blijft hij staan om op adem te komen. Hij kijkt omhoog naar het huis en de moed zinkt hem in de schoenen. 'Hoeveel kamers zou het wel niet hebben?' verzucht hij. 'En in welke daarvan hangt het?'

Dan ziet hij de regenpijp die over de hele lengte van het huis loopt. Helemaal bovenin staat een dakraampje open, vlak boven de pijp, waar de dakgoot loopt. Hij voelt of de afvoer stevig is, spuugt in zijn handen en klautert snel omhoog. In een oogwenk hangt hij vlak onder het raam. Hij trekt zich op aan de dakgoot en kijkt naar binnen. Zijn hart slaat een slag over. Vlak voor zijn neus staat het zeegezicht, tegen een stel opgestapelde kisten.

De dwerg kruipt naar binnen en landt met een zachte plof op de zolderplanken. Hij trippelt naar het schilderij, maar blijft abrupt staan als hij gesnurk hoort. Op een krukje, naast het schilderij, zit een buikig persoon. Zijn hoofd hangt op zijn borst en zijn grijze baard en snor bewegen zachtjes wanneer hij uitademt, als gras waar een lichte bries doorheen strijkt. Hij heeft een ooglapje, een houten been, en er steekt een haak uit zijn linkermouw. Op een stokje naast hem zit een soezende papegaai.

Manke Tinus, denkt de dwerg. Hij kijkt zoekend om zich heen en ziet dan het trapgat. Tussen de kisten met goud, juwelen en edelstenen, die hij geen blik waardig keurt, sluipt hij ernaartoe en verdwijnt haastig naar beneden. Op elke verdieping kijkt hij even rond of de kust veilig is. 'Geen mens te zien,' prevelt hij tevreden.

Als hij beneden is, schiet hij naar de voordeur en begint de sloten open te maken. Hoe hij ook zijn best doet om geen lawaai te maken, de kettingen rammelen en de zware balk die dwars voor de deur hangt, glipt uit zijn handen en valt met veel kabaal op de grond. De dwerg krimpt ineen en verwacht elk moment rennende voetstappen te zullen horen. Maar het blijft stil. Dan herinnert hij zich wat de man in de kroeg zei over de knecht. *Zo doof als een gootsteen.* En Manke Tinus zit helemaal boven, dus die kan hem zeker niet horen. Zonder zich nog druk te maken om de herrie, gaat de dwerg in een hoog tempo verder tot de deur eindelijk openzwaait.

Puffend en steunend sleept hij de lading van de handkar naar binnen. Hij legt alles op een grote stapel in de hal en hoopt dat niemand onverwachts binnen zal komen. Dan begint het zware gesjouw naar boven. Eerst brengt hij alles naar de eerste verdieping, dan naar de tweede en zo gaat het door tot hij bij de smalle trap naar de zolder is.

Hij veegt het zweet van zijn voorhoofd en spitst zijn oren. Van boven klinkt nog steeds een geruststellend gesnurk. Omdat de trap zo smal is, moet de dwerg alle spullen een voor een naar boven brengen. Hij legt alles boven aan de trap neer, dan hoeft hij zo dadelijk alleen nog maar heen en weer te lopen tussen de stapel en het zeegezicht.

Na een tijdje ligt alles op de zolder. Hij pakt het schilderij dat boven op de stapel ligt en duwt het voorzichtig door het zeegezicht. Vol verbazing ziet de dwerg hoe het ene schilderij in het andere verdwijnt. Met elk voorwerp dat door het zeegezicht wordt opgeslokt, voelt hij zich lichter worden. De stapel slinkt zienderogen. Nog even, denkt hij, en dan...

'Himmeldonnerwetter!'

Van schrik laat de dwerg een schilderij vallen.

De papegaai is wakker geworden. Het dier drentelt opgewonden heen en weer op zijn stokje. 'Himmel-donnerwetter! Himmeldonnerwetter!'

De piraat maakt smakgeluiden en knippert met zijn ogen. 'Wadizzer?' Snel gooit de dwerg de laatste spullen in het zeegezicht en dan springt hij er zelf achteraan.

In en uit het schilderij

De muzikanten gingen door met het bespelen van hun instrumenten en de paren dansten nog steeds in het rond, alsof ze niets gehoord hadden. Maar Bertus en ik hadden met rode oren naar de dwerg geluisterd. Door alles wat we gehoord hadden, konden we nauwelijks stil blijven. Bovendien kreeg ik last van de verkrampte houding waarin ik nu al een hele tijd zat. Ik probeerde wat te gaan verzitten en kreeg een pijnscheut in m'n rechterkuit. Ik beet op mijn lip om het niet uit te schreeuwen. 'Kletskop en ik landden op een klein, heuvelachtig eiland,' vervolgde de dwerg. 'De spullen die ik in het schilderij had gegooid, lagen er al. Als door een wonder was alles droog gebleven. In het eiland vond ik een opening, die toegang gaf tot een gang. De gang liep steil naar beneden en kwam na vele meters uit op een enorme grot onder het water. Ik besloot dat dit mijn hoofdkwartier zou worden en bracht alles ernaartoe.' Plotseling zweeg hij en hield het doodshoofd bij zijn rechteroor, alsof hij ernaar luisterde.

Even later keek de schedel weer onze kant op. De dwerg had het knap gedaan, want het leek net of Kletskop uit zichzelf naar ons toe was gedraaid. Tegelijk voelde ik weer de priemende blik van de duistere oogkassen. Begon ik mijn verstand te verliezen? Ik keek snel naar Bertus en zag dat hij zich ook niet op zijn gemak voelde. We doken nog wat verder weg achter de tonnen en wachtten gespannen af.

'Wát zeg je, Kletskop? Indringers? Waar dan?' De dwerg keek om zich heen en ten slotte keek hij net als de schedel in onze richting. Na een tijdje schudde hij zijn hoofd. 'Ik zie niks hoor. Maak je nou maar niet dik, beste vriend, alle indringers zitten gevangen in het witte niets. En daar komen ze nooit meer uit. Hè hè hè!'

We zuchtten opgelucht, maar bleven met ons hoofd omlaag zitten. Voor alle zekerheid.

De dwerg gaf een klopje op de beschimmelde schedel en ging verder met zijn verhaal. 'Zodra ik alles op orde had, besloot ik te proberen om opnieuw zo'n magisch schilderij te maken. Ik ging er zo in op dat ik helemaal niet aan eten of drinken dacht. In een grot zie je immers geen verschil tussen dag en nacht. Nadat ik aan een aantal schilderijen had gewerkt, was ik zo uitgeput dat ik wel moest stoppen. En toen besefte ik dat ik al dagenlang zonder eten en drinken moest hebben geleefd.' Zijn blik gleed weer over de dwaze dansers. 'Nóg een reden dat jullie altijd zullen blijven dansen...' Hij maakte een paar uitbundige bokkensprongen.

'Omdat het niet lukte een toverschilderij te maken, probeerde ik het zeegezicht opnieuw te schilderen. M'n hele hebben en houwen legde ik erin. Bloed gutste uit m'n verkrampte handen, zweet spatte van m'n gezicht, en tranen sprongen uit m'n ogen. Zo kwam ik erachter hoe ik mijn schilderijen tot leven moest wekken. Met bloed, zweet en tranen.' Ik keek even naar Bertus. Hij trok een vies gezicht.

'Toen het nieuwe zeegezicht af was,' ging de dwerg verder, 'merkte ik dat ik er veel meer op kon zien dan ik geschilderd had. Als ik naar links of naar rechts keek, naar boven of naar beneden, verschoof het beeld op het doek met me mee. Ik kon alles volgen wat er in mijn schilderij gebeurde! Zo kwam ik er ook achter dat jullie, dwaze dansers, mijn zeegezicht bevolkten. En dat niet alleen... Er kwamen steeds meer zielen bij! Verloren zielen, op de vlucht voor gevaar. En met elke aanwinst nam de toverkracht van het zeegezicht én van mij toe! Door hun pure angst. Ik kon stormen aanwakkeren, water laten kolken en bruisen, zand laten kruipen als mieren, onkruid laten woekeren. Ik was heer en meester van het zeegezicht! Toen kreeg ik een idee...'

Bertus en ik luisterden gespannen, al hadden we zo'n vermoeden van wat er komen ging.

'Ik besloot dat ik me op jullie zou wreken, voor alles wat jullie soortgenoten mij hadden aangedaan. Jullie zouden voor mij dansen, zoals ik ooit voor de soldaten en het domme volk moest dansen. En nu is het zover...' De dwerg lachte akelig en riep: 'Dans, dwaze dansers, dans!!'

Terwijl ik wanhopig probeerde te bedenken wat we moesten doen, tikte iemand op mijn rug. Geschrokken draaide ik me om. Het was oom Balthasar, en hij gebaarde dat we met hem mee moesten komen.

Zonder onze vingers uit onze oren te halen, slopen we met gekromde rug achter hem aan. Helemaal naar de voorplecht, waar een groot luik openstond. Oom Balthasar hielp ons een wankele ladder af te dalen. Toen hij het luik achter zich gesloten had, volgde hij ons naar beneden.

Het was er aardedonker en er hing een doordringende verflucht. De geur deed mijn neus kriebelen en ik wreef er met een hand overheen. Ik verstijfde. Nu was het afgelopen! De muziek zou mij ook in zijn ban krijgen en... Ik luisterde gespannen, maar er klonk geen muziek. Het was zo stil dat ik mijn hart hoorde bonzen.

'Het... het is opeens zo stil,' mompelde Bertus verwonderd. 'Is de muziek opgehouden?'

'Ik hoop van niet!' bromde oom Balthasar ergens achter mij.

Verontwaardigd draaide ik mij om. 'Hoezo?' riep ik op goed geluk tegen de duisternis. 'We moeten er toch voor zorgen dat die rottige tovermuziek zo snel mogelijk stopt?!'

'O ja? En dan?'

Zwakjes mompelde ik: 'Euh ja, dat weet ik nog niet.'

'Dat dacht ik al,' zei oom Balthasar schamper. 'Als die muziek ophoudt, breekt daarbuiten de hel los. Dan kun je beter een plan hebben. Laat ze nog maar een tijdje dansen, ze lopen niet weg.'

'Hebt u geen last van die muziek?' vroeg Bertus.

'Ik had watjes in mijn oren,' zei oom Balthasar. 'Ik heb een zak meegenomen uit de badkamer van je ouders...'

'Hebt u een plan?' onderbrak ik hem.

'Jazeker.'

'Waar wachten we dan nog op?'

'Tot het vernis gedroogd is,' zei oom Balthasar raadselachtig.

'Vernis? Hoezo, wat wilt u gaan doen?'

'Dat is een verrassing, jongen. En hopelijk een aangename.'

'De dwerg vertelde net aan de dansers hoe hij in het schilderij is gekomen,' begon Bertus, 'en waarom hij wraak op ze wil ne...'

'Ik ken het verhaal, Melchior,' zei oom Balthasar kortaf. 'Ik heb het hem zelf horen vertellen, tegen zijn doodshoofd. In de grot. Zoals jullie inmiddels wel zullen begrijpen, ben ik hier al vaker geweest.'

'Eigenlijk begrijp ik er erg weinig van,' mompelde Bertus. 'Hoe bent u eigenlijk in het schilderij terechtgekomen? De eerste keer, bedoel ik.'

'Vooruit,' gromde oom Balthasar. 'We hebben nu toch even niks beters te doen. Maar onderbreek me niet, ik heb geen zin steeds opnieuw te moeten beginnen. Vragen stel je maar na afloop.'

Lang geleden speelde ik als jongen met mijn vrienden vaak in de buurt van een vervallen huis, hoog op een heuvel. Het spookte er, zei men, en niemand durfde er een voet over de drempel te zetten. Er was zelfs een hoog hek omheen gezet om mensen buiten te houden, of de spoken binnen. Tientallen jaren daarvoor was het uitgebrand, tijdens een groot feest. Van de feestvierders is nooit iemand teruggezien. Het verhaal ging dat ze nog steeds rondspookten in het huis, alsof er nooit een einde was gekomen aan het feest. En als je goed luisterde, kon je nog de walsjes horen die de muzikanten speelden, zei men.

We daagden elkaar uit er naar binnen te gaan om er een kijkje te nemen. Op een dag wedde ik met de anderen om een zak knikkers dat ik het zou durven. Ik was net zo bang als de rest, maar ook heel nieuwsgierig naar het huis. En de spoken. Ik klom over het hek en kon naar binnen door een kapot raam. Na al die jaren hing er nog steeds een brandlucht. Ik ben in alle kamers geweest op de begane grond. Naar boven kon je niet meer, de trap was helemaal verkoold. Ten slotte kwam ik in de keuken. En daar stond het, tegen een muur. Het zeegezicht. Het was onbeschadigd. Er was nog geen schroeivlek op te bekennen. Het duurde niet lang voor ik het geheim ervan ontdekte...

Ik heb mijn beloning opgehaald en later die dag ben ik alleen teruggegaan. Met een lang stuk touw. Dat maakte ik vast aan een oude afvoerbuis en het andere eind bond ik om mijn middel, zodat ik weer terug zou kunnen. Ik sprong erin en kwam op een groot eiland terecht. Ik keek mijn ogen uit. Overal om mij heen was water. Met veel moeite rukte ik me na een tijdje los van het zeegezicht, vastbesloten er snel weer naar terug te keren. Via het touw kwam ik weer aan de andere kant van het schilderij. En toen ontdekte ik welke prijs ik voor mijn nieuwsgierigheid had betaald...

Ik ging terug naar ons huis en door het raam zag ik mijn broer. Hij was een stuk ouder dan de laatste keer dat ik hem had gezien, pas een uur daarvoor. En er zat een kind op zijn knie. In het uur dat ik in het zeegezicht was geweest, waren er in onze wereld jaren verstreken. Ik ben niet naar binnen gegaan. Ik kon nooit meer terug naar mijn familie.

Geen mens zou me geloven als ik vertelde wat er gebeurd was. Ze hadden me in het gesticht gegooid!

Ik ging ook niet terug naar het schilderij, want ik wilde niet dat er opnieuw in één klap jaren voorbij zouden gaan. Ik ging in de leer bij een reclameschilder. Op muren schilderde ik reclames voor rijwielhandelaren, tabak, banket, chocolade... enzovoorts. En op grote doeken schilderde ik aankondigingen voor films, die aan de gevels van bioscopen werden gehangen. Dat heb ik jarenlang gedaan en later maakte ik portretten van rijkelui. Maar het zeegezicht bleef aan me knagen, als een niet te stillen honger. Op een dag kon ik me er niet langer tegen verzetten.

Ik ging naar het huis op de heuvel.

Het stond er nog precies zo bij als eerst. Zelfs het touw hing er nog in de keuken. Ik maakte een vlot en ging op ontdekkingsreis door het zeegezicht. Ik kwam alle mensen tegen die jullie ook zullen hebben ontmoet. Ik heb ze bespied, maar ik kwam nooit dichterbij. Zo ben ik veel te weten gekomen, bijvoorbeeld dat iedereen graag terug wilde. Ik zat net te bedenken hoe ik dat ging aanpakken, toen ik plotseling overspoeld werd door een vloedgolf. Ik had juist het touw in handen, omdat ik terug wilde naar het huis op de heuvel. Ik hield me uit alle macht vast, tot een volgende vloedgolf me een optater gaf. Het touw, dat er al jaren hing en inmiddels versleten was, brak doormidden en het andere uiteinde verdween uit het schilderij.

Ik zat vast in het zeegezicht.

Waarschijnlijk was het geen toeval dat die vloedgolf opdook. Ik denk dat de dwerg mijn plannetje in de gaten had gekregen en er een stokje voor probeerde te steken. Door die enorme golven spoelde ik aan op het eiland waar de majoor en zijn soldaten verbleven. Zoals jullie wel gehoord zullen hebben, ben ik daar niet lang gebleven. Vervolgens belandde ik bij toeval op een eilandje waar ik een halfverborgen ingang ontdekte. Ik kwam in een steil aflopende gang terecht die leidde naar de grot van de dwerg. Ik heb me daar lange tijd verborgen gehouden. Dagen, misschien zelfs wel weken. De tijd loopt hier anders, dat weten jullie, en is moeilijk te meten. Ik merkte tot mijn verbazing dat ik zonder eten en drinken kon.

Terwijl hij schilderde, kakelde de dwerg altijd tegen Kletskop en hij vertelde hem van alles en nog wat. Toen ik hoorde dat hij zich op de mensen in het zeegezicht wilde wreken, begreep ik dat ik zo snel mo-

gelijk moest ingrijpen. Maar hoe kreeg ik iedereen uit het schilderij als me dat zelf niet eens meer lukte? Ik kwam erachter dat de dwerg zijn eigen bloed, zweet en tranen gebruikte om de schilderijen hun magische werking te geven. Dat bracht me op een idee, ik ging zelf een schilderij maken. Van het huis op de heuvel. Als jongen had ik er zo vaak naar staan kijken dat ik het wel kon dromen. Ik wist precies waar elke schroeiplek zat, waar de ruiten gesprongen waren door de hitte. Elk geblakerd kozijn kende ik op m'n duimpje.

's Middags deed de dwerg vaak een dutje en dan schilderde ik, zo snel als ik kon. Ik lette goed op dat hij er niet achter kwam en zette het doek als hij wakker begon te worden snel tegen een van de wanden, met de beschilderde kant naar de muur. Gelukkig heeft hij het nooit ontdekt, hoewel ik voor de vernislaag flink wat bloed, zweet en tranen heb gebruikt.

Toen het vernis gedroogd was, sprong ik in het schilderij en kwam weer in het huis terecht. Alles was nog zoals de laatste keer dat ik er geweest was. Op één ding na. Alle hekken waren weggehaald en om het huis wemelde het van de werklui in feloranje pakken. Ze droegen gele helmen en spraken in een soort telefoontjes, maar dan zonder snoer. Er stonden vrachtwagens, mannen met mokers, en een auto met een slopersbal eraan...'

'Ze gingen het huis afbreken!' riep Bertus uit. 'O, sorry...'

Oom Balthasar humde instemmend. 'Ik was geen minuut te vroeg. Ik tilde het zeegezicht voorzichtig op en bracht het naar buiten. De werklui keken vreemd op toen ze opeens een oude man uit het huis zagen komen, die bovendien een enorm schilderij bij zich had. Ik moest het op een veilige plek zien te krijgen, ergens waar ik niet gestoord zou worden. Toen besloot ik dat het tijd was om terug te gaan naar mijn familie. Gelukkig woonden jullie nog in hetzelfde huis als waar wij vroeger hadden gewoond. Ik sloot me op in de logeerkamer, omdat ik geen tijd en zin had om alles uit te leggen. Jullie hadden mij toch niet geloofd. En dat mens al helemaal niet!'

'Hij bedoelde tante Martha.

'Met behulp van haar waslijn maakte ik een verbinding tussen onze wereld en het zeegezicht. De ene kant maakte ik vast aan een verwarmingsbuis, de andere nam ik mee het schilderij in. Ik kwam weer in de buurt van een eiland terecht en bevestigde de waslijn aan een palmboom. Zo kon ik heen en weer pendelen tussen de ene kant en de andere. En zo kon ik ook vissen vangen in het zeegezicht om op te eten in de echte wereld toen dat mens me niks meer wilde geven...'

'En die zeemeeuwen zijn natuurlijk over de waslijn ons huis in gewandeld,' zei Bertus opgelucht. 'Nou snap ik het!'

'Hou je kop nou eens!' siste ik.

Maar oom Balthasar ging onverstoorbaar verder. 'Ik hoopte dat ik op die manier iedereen uit het zeegezicht kon bevrijden. Via de waslijn. Maar hij schoot los toen ik me in het zeegezicht bevond en ik was weer terug bij af. Opnieuw probeerde ik in de grot van de dwerg te komen, maar ditmaal had hij mij door. Ik kwam vast te zitten in de doorgang en toen werd ik belaagd door het sluipzand. Op dat moment kwamen jullie. En nu kennen jullie het hele verhaal,' besloot oom Balthasar.

'Niet het héle verhaal,' zei Bertus. 'Dat feest was natuurlijk het verlovingsfeest van Amélie. En als het zeegezicht nog steeds in de keuken stond, moet die brand kort na het feest zijn ontstaan. Maar hoe?'

'En we weten nog steeds niet wat u van plan bent,' voegde ik daaraan toe.

'Dat van die brand weet ik ook niet. Wat mijn plan betreft, de vernislaag zal nu wel droog zijn. Ik ben benieuwd wat jullie ervan vinden...'

Ik hoorde dat er een lucifer werd afgestreken. Vervolgens lichtte het gezicht van oom Balthasar spookachtig op, alsof zijn hoofd los in de ruimte zweefde. Hij stak een kleine olielamp aan en draaide het licht wat hoger, zodat we eindelijk om ons heen konden kijken. We bevonden ons in het laadruim van het schip, maar het was bijna helemaal leeg.

'Dít is mijn plan,' zei oom Balthasar, terwijl hij de lamp wat hoger hield.

Het licht viel op iets enorms. 'Wacht, dit is de achterkant. Ik zal het even omdraaien.' Met enige moeite draaide hij het gevaarte om, zodat wij de goede kant onder ogen kregen.

Onze mond viel open en wij wisten niets te zeggen.

De oude man grijnsde toen hij onze verbijsterde gezichten zag. 'Zo. Laten we maar eens een einde maken aan dat dolle dansfestijn. Het heeft inmiddels lang genoeg geduurd!'

XX

Schoon schip

De dansers leken onvermoeibaar, net als de muzikanten. Terwijl de eersten in de rondte zwierden als schaatsers over glad ijs, bespeelden de laatsten als vanzelf hun instrumenten. Maar de blik van iedereen was flets, alsof er van binnen iets was gedoofd.

Bertus en ik slopen naar het bootje met de drie muzikanten. Gelukkig hadden we nu watjes in onze oren, zodat we onze handen konden gebruiken. We bleven zoveel mogelijk in de duisternis, zodat de dwerg ons niet kon zien. Voorlopig had hij alleen oog voor de dansers, maar één blik onze kant op kon fataal zijn. We waren ook op onze hoede voor Kletskop.

Toen we vlak bij het bootje waren, klommen we voorzichtig over de rand. Ondertussen hielden we de muzikanten in de gaten. Maar zoals oom Balthasar al had voorspeld, keken ze langs ons heen, alsof we er helemaal niet waren. Ik ging achter de muzikant staan die de klavecimbel bespeelde en Bertus wurmde zich achter de violist. Gespannen wachtten we op het teken.

Een paar tellen later zwaaide oom Balthasar zijn lamp heen en weer vanachter een van de masten.

Ik liet mijn vuisten onzacht neerkomen op de toetsen van de klavecimbel - BOINK! - en Bertus gaf een ruk aan de strijkstok - IEEEEEEEE! De snerpende valse toon sneed door onze watten heen.

De dwerg versteende.

De dansers bleven staan en keken verdwaasd in het rond.

Bertus en ik haalden de watten uit onze oren.

De muziek was opgehouden.

Amélie deinsde achteruit bij de aanblik van de dunbesnorde man tegenover haar. 'Hoveling! Maar ik dacht dat je... dat je...'

Hoveling keek haar verward aan. 'Amélie?'

'Oom Anton!' riep Dorothée op hetzelfde moment. Ze wilde zich losrukken, maar de zilverwitte heer greep haar nog steviger vast.

'Nu ontkomen jullie ons niet meer!' siste hij kwaadaardig.

Het dienstertje glipte uit de omhelzing van Van Gendt en snelde op de zusjes toe. 'Mejuffer Amélie! Mejuffer Dorothée! O, wat ben ik blij dat ik u weer zie! Ik maakte me zo'n zorgen!'

'Mina!' riep Amélie. Ze spreidde haar armen om haar trouwe dienstmeid te omhelzen.

Maar Hoveling was intussen van zijn verbazing bekomen en pakte ruw Amélies hand beet. Uit zijn jaszak haalde hij een ring tevoorschijn. 'Gelukkig had ik onze verlovingsringen bij me. Nu ben je voor altijd de mijne, m'n duifje!' Hij probeerde de ring om haar vinger te schuiven, maar Amélie krabde en beet als een wilde boskat.

'Laat mijn zusje los, naarling!' gilde Dorothée. 'Gluiperd! Ze wíl helemaal niet met je trouhumpff!'

De rest van haar woorden werd gesmoord doordat oom Anton zijn hand om haar mond klemde. 'Zwijg!'

'Hé hé, wat is hier gaande?' bromde een stem achter hen.

Het was Manke Tinus, die met grote stappen aan kwam lopen. Hij wierp oom Anton en Hoveling een gevaarlijke blik toe. 'Laat die juffies los, anders maken jullie kennis met deze hier!' Dreigend stak hij zijn haak omhoog. 'En z'n broer!' Hij zwaaide met zijn gebalde vuist.

Oom Anton bleef als aan de grond genageld staan. 'Manke Tinus?! Maar d-dat kan niet, die is al honderd jaar dood!'

'Ik ben anders nog springlevend hoor!' De piraat monsterde de zilverwitte van top tot teen en schudde het hoofd. 'Ik heb jou nooit eerder gezien, makker. Waar ken jij me van, huh?'

'Van uw portret... in de salon.'

'O ja,' zei Dorothée. 'Nou zie ik het ook. Die woeste zeerover!'

'Woeste zeerover?' Hoveling fronste zijn wenkbrauwen. 'Wie is dit... sujet?' vroeg hij met dunne lippen.

'Het buitenhuis was van hem,' legde oom Anton uit, 'honderd jaar geleden. Bij elkaar geroofd met piraterij. Maar op een dag verdween hij spoorloos en toen is zijn hele bezit, inclusief het huis, naar zijn oudste neef gegaan. Johan Willem Adriaanszoon Mallie.'

'Malle Jantje?' Manke Tinus klonk ongelovig.

Oom Anton knikte alsof zijn leven ervan afhing. 'Mijn voorvader... en die van Amélie en Dorothée,' voegde hij er met enige tegenzin aan toe. 'Maar ik snap niet hoe...'

Manke Tinus keek met grote ogen naar beide zusjes. 'Dus jullie zijn mijn achter-achter-achter-en-nog-wat-nichtjes?'

De meisjes knikten verlegen.

Dorothée kreeg een rode kleur. 'Stel je eens voor, Amélie, we hebben een echte zeerover in de familie!'

'Kinders, kom aan mijn borst!' sprak Manke Tinus ontroerd. Hij graaide de meisjes van de vloer, plette ze tegen zijn brede borstkas en zwierde hen in het rond. Nadat hij ze voorzichtig weer op de grond had gezet, gaf hij Hoveling een duw. 'En jij blijft voortaan bij mijn achter-achter-achter-en-nog-wat-nichtjes uit de buurt. Begrepen?!'

'Be-begrepen, meneer,' zei Hoveling gedwee.

'En dat geldt ook voor jou!' donderde de piraat tegen oom Anton.

De zilverwitte heer knikte bedremmeld.

Opeens stond majoor Karelse voor onze neus. 'Deksels! Als dit klopt, hadden jullie toch gelijk!'

Wij keken hem niet-begrijpend aan.

'Euh, wat bedoelt u precies?' vroeg Bertus.

'Jullie zeiden toch dat ik al tweehonderd jaar in het zeegezicht zat? Ik geloofde er niks van, omdat het voor mijn gevoel maar een paar weken was.' De majoor knikte naar Manke Tinus. 'Maar als er al honderd jaar zit tussen hem en die twee dametjes...' Hij haalde zijn schouders op. 'Nou ja, dan konden jullie het best eens bij het rechte eind hebben.'

De overige dansers, die tot dan toe zwijgend hadden staan luisteren, begonnen zich te roeren. Uit hun midden stegen angstige kreten op en een deftige dame viel in katzwijm.

'*Tweehonderd* jaar!' riep iemand verbijsterd. 'Hoe lang zitten wíj dan wel niet in dit schilderij?!'

'Een eeuw,' zei de dwerg, die weer bij zijn positieven was gekomen. 'En daar komt nog een eeuwigheid bij!' Hij lachte akelig en knikte naar de muzikanten. 'Spelen jullie!'

De majoor werd bleek en wees met trillende vinger. 'D-dat is die ellendige dwerg die ons dat behekste schilderij heeft verkocht! Van Gendt en Loos, grijp die onverlaat. Hangen zal-ie!'

De soldaten liepen aarzelend naar de verhoging waarop de dwerg stond. Ze voelden zich naakt zonder hun uniform, zonder hun wapens, slechts gekleed in een dunne hansop.

'Wacht!!'

Oom Balthasar baande zich een weg door de menigte.

'Donder en bliksem! Is het nou afgelopen met die flauwekul!'

De dwerg leek even van zijn stuk gebracht. 'Flauwekul?'

'Ja, flauwekul! Deze mensen hebben je nooit iets misdaan. Integendeel, ze zijn in je zeegezicht beland omdat ze op de vlucht waren. Net als jij. Jullie zitten dus in hetzelfde schuitje.'

'Maar hun soortgenoten...' sputterde de dwerg.

'Daar kunnen zij toch niets aan doen!' zei oom Balthasar op een toon die geen tegenspraak duldde. 'Wees blij dat ze in jouw schilderij konden schuilen zolang dat nodig was!'

'Zolang dat nodig was?' Het mannetje keek hem verwonderd aan. 'Wat bedoel je, heerschap?'

'Dat ze weer kunnen terugkeren naar de wereld aan de andere kant van het zeegezicht, als ze dat willen. Het zal niet precies dezelfde wereld zijn als die waar ze vandaan kwamen - de verstreken tijd kan nooit meer teruggedraaid worden - maar het is wel de echte.' Oom Balthasar liet zijn blik gaan over de dwaze dansers, waarbij hij iedereen indringend aankeek.

'Staat ons huis er nog?' vroeg Amélie.

'Er zal niet veel van over zijn, mejuffer,' zei Mina treurig. 'In een kamer op de eerste verdieping was een kandelaar omgevallen, toen ze op zoek waren naar u. We kwamen er pas achter toen het al te laat was. De vlammen waren overal, we konden nog net de keuken in vluchten. Maar algauw werd het daar te vol en toen zijn we met z'n allen meneer Hoveling gevolgd, die als eerste het schilderij in sprong.'

Hoveling kuchte. 'Tja, íemand moest de leiding nemen...'

'Zelfs de ruïne is nu weg,' zei ik. 'Ze hebben alles gesloopt.' Dat wist ik natuurlijk niet zeker, maar de kans was groot dat er inmiddels alweer een paar jaren voorbij waren gegaan. En zo lang zouden de slopers er toch niet over doen om het huis af te breken?

'Wat vreselijk!' verzuchtte Dorothée.

'Himmeldonnerwetter!' riep Manke Tinus.

Oom Anton zakte verslagen ter aarde.

'Brand? Slopen?' De dwerg hapte naar adem en keek verschrikt om zich heen, alsof hij verwachtte dat er ieder moment iets vreselijks kon gebeuren met het zeegezicht.

'Daar had je niet aan gedacht hè?' zei oom Balthasar. 'Dat je schilderij kapot zou kunnen gaan. En wat gebeurt er dan met de wereld ín het zeegezicht, met de mensen erin? Hm?'

'Maar het is niet vernietigd,' zei de dwerg koppig.

'Niet door het vuur, nee. Maar toen ik wist dat het huis gesloopt zou

worden, heb ik het schilderij in veiligheid gebracht. Anders was het on-
getwijfeld aan flarden gescheurd.'

De dwerg huiverde. 'Waar is het nu dan?'

'Doet er niet toe,' zei oom Balthasar kortaf. 'Het is daar veilig en dat is
het enige waar het om gaat.'

Ik vroeg me af hoe veilig het zeegezicht was met Bertus' onhandige vader in de buurt en hoopte maar dat oom Balthasar gelijk had.

Bertus krabde zich op het hoofd. 'Maar ik snap nog niet helemaal hoe
iedereen nou in die bootjes is beland.' Hij keek naar Amélie. 'En jij
durfde toch niet uit de boom te klimmen?'

Het meisje knikte. 'Het kwam door de muziek. Lokkende klanken, ver-
leidelijke klanken, die door de bomen werden geweven. Van het ene op
het andere moment werden we meegevoerd. Ik wilde niet, maar ik had
niets meer te willen. We moesten mee.'

'Ja,' zei Dorothée. 'Zo was het. We klommen als in een droom omlaag
en liepen door het bos naar de waterkant.'

'Maar hield het woekerkruid jullie dan niet tegen?' vroeg ik.

'Het deed niets, het liet ons met rust.'

'Natuurlijk liet het je met rust!' bromde oom Balthasar. 'Ditmaal wilde
de dwerg jullie niet tegenhouden. Zijn plannetje was om jullie de boot
in te krijgen.'

'Inderdaad lag er een kleine zwarte boot op ons te wachten,' ging Dorothée verder. 'Er waren nog veel meer bootjes. De meeste waren leeg,
maar in een ervan zaten de muzikanten. Ik herkende ze meteen...'

'Het was het orkestje dat speelde op mijn verlovingsfeest,' zei Amélie
zacht. 'Maar het was net of ze niet zelf speelden, alsof iets of iemand ze
gebruikte als instrument. Geen gewoon mens kan zulke betoverende
klanken voortbrengen. Zelfs niet met het beste instrument ter wereld.'

'Ze kwamen goed van pas,' gaf de dwerg toe. 'Dankzij mij zat er eindelijk muziek in de muzikanten!'

Bertus negeerde het mannetje en keek naar Dorothée. 'En wat gebeurde er toen?'

'De bootjes voeren als vanzelf verder toen wij waren ingestapt. Hier en
daar kwamen mensen aan boord van de andere bootjes en ten slotte
zelfs een heel gezelschap, dat aan iedereen fakkels uitdeelde. Maar we
herkenden ze niet, het was alsof de muziek onze geest had beneveld.'

Amélie wierp een blik vol afgrijzen op Hoveling. 'Pas toen de muziek
ophield, zag ik met wie ik gedanst had...'

Hoveling trok een zuur gezicht.

Iedereen zweeg.

De dwerg verbrak de stilte. 'Het lukt je nooit om iedereen terug te laten keren,' zei hij tegen oom Balthasar.

'Dat had je gedacht.' Oom Balthasar knikte naar ons. 'Jongens, haal het doek maar op!'

Bertus en ik sleepten het doek dat we samen met oom Balthasar uit het laadruim hadden gesjouwd, naar het midden van het scheepsdek en draaiden het zo dat iedereen de afbeelding kon zien. Het geroezemoes verstomde. Zelfs de dwerg deed er het zwijgen toe. Het schilderij was bijna even groot als het zeegezicht, alleen stond er geen zee op maar een huis.

Een doodgewoon huis in een doodgewone straat, in het holst van de nacht. Aan een heldere hemel stonden sterren die levensecht flonkerden en het schijnsel van een kaasronde maan viel vanuit het schilderij schuin op het scheepsdek. Huis en lucht werden omringd door een aardedonkere, rafelige rand en men keek van onderaf tegen het huis aan. Alsof degene die het geschilderd had, dat vanuit een groot konijnenhol had gedaan.

Oom Balthasar had ons in het ruim verteld dat hij het aan boord van de zwarte driemaster had geschilderd, met behulp van penselen, verf en een doek die hij van de dwerg had gestolen. En natuurlijk het rekje met bloed, zweet en tranen voor de vernislaag. Hij was veel eerder dan wij en de rovers uit de kleine grot geglipt en had alles vliegensvlug in het schilderijtje van het schip gegooid, omdat hij wist wat de dwerg met de driemaster van plan was. Het mannetje had het er vaak over gehad tegen Kletskop.

'Hoogst merkwaardig,' prevelde de majoor. 'Werkelijk hoogst merkwaardig.'

Op hoge toon vroeg de zilverwitte heer: 'En u verwacht dat we zomaar dat schilderij van u binnenstappen?'

Oom Balthasar trok met zijn schouders. 'Ik verwacht niks. Iedereen moet zelf weten wat-ie doet of niet doet.' Opnieuw keek hij alle gezichten langs. 'Maar deze kans is eenmalig. Denk dus goed na voordat jullie beslissen. Bovendien gaat aan de andere kant de zandloper van de tijd weer stromen,' voegde hij er onheilspellend aan toe.

Ik keek Bertus aan en hij keek terug, zijn ogen vol vragen. *Eenmalig?* Wat bedoelde oom Balthasar daarmee?

De dwerg sloeg zijn armen over elkaar. 'Ik blijf hier. In de echte wereld heb ik niks meer te zoeken. De dansers zijn vrij om te gaan,' voegde hij er met tegenzin aan toe. 'Je hebt gelijk, ze hebben geen schuld.'

'Ik blijf ook in het zeegezicht,' klonk de zware stem van Manke Tinus. 'Aan de andere kant wacht de Grauwe Raper me op met z'n kille klauwen...' Hij rilde. 'Hier heb ik zeeën van tijd om het zeegezicht verder te ontdekken. En ik heb deze driemaster,' zei hij glunderend, als een jongen die net een nieuwe racebaan heeft gekregen.

Er verscheen een lachje om de mond van de dwerg. 'Ik kan nog veel meer voor je schilderen, piraat. Je hoeft je hier niet te vervelen!'

'Mooi,' zei oom Balthasar tevreden, 'dat is dan geregeld.' Hij keek om zich heen om te zien of er nog meer achterblijvers waren. Toen niemand iets zei, wreef hij in zijn handen. 'Laten we gaan.'

'Ho ho, heerschap!' De zilverwitte trok een gewichtig smoel. 'Weet u zeker dat dat schilderij van u naar behoren functioneert?' Hij kneep zijn ogen tot spleetjes en legde zijn wijsvinger langs zijn neus. 'Met andere woorden, is de werking ervan deskundig getest?'

'Dat gaat dadelijk gebeuren,' zei oom Balthasar.

'Dadelijk?' De zilverwitte liep rood aan. 'U bedoelt dat wij proefkonijnen zijn? Dit is een grof schandaal!'

'Dan blijft u toch gewoon hier?' merkte Bertus fijntjes op. 'Niemand dwingt u in het schilderij te stappen, hoor.'

'Houd je mond, snotjoch!' brieste oom Anton.

'De jongen heeft gelijk.' Oom Balthasar liep naar het schilderij en draaide zich nog eenmaal om. 'Ik ga. Iedereen die mee wil, volgt mij op de voet. Voordat het te laat is...'

'Maar waar komen we dan terecht?' vroeg de majoor.

'Aan de andere kant,' zei oom Balthasar. 'Als alles goed gaat.'

De majoor knikte ongeduldig. 'Jaaah, maar wáár aan de andere kant?'

Oom Balthasar keek hem aan. 'Doet dat er nog iets toe?' vroeg hij toen. 'Na al die jaren?'

'Nee.' De majoor bloosde. 'Dat doet er eigenlijk niets meer toe. Als we maar hier weg zijn...'

Aarzelend liep iedereen naar het schilderij en ging om oom Balthasar heen staan. De oude man stapte met één been in het schilderij en toen met het andere. Het volgende moment was hij verdwenen. De dansers keken elkaar aan en volgden hem een voor een. Uiteindelijk bleven alleen Bertus en ik over, samen met Dorothée en Amélie.

De zusjes stonden nog steeds bij de stoere zeebonk, alsof ze geen af-scheid van hem konden nemen. Amélie leende een zakdoekje van Do-rothée en snoot langdurig haar neus.

'Is er nog iets wat we voor u kunnen doen, oom Tinus?' vroeg Do-rothée. 'Aan de andere kant, bedoel ik?'

De zeerover slikte moeilijk. 'Mocht je ooit Fritz terugvinden, m'n op-gezette Duitse papegaai, gooi hem dan alsjeblieft in het zeegezicht. Maar voorzichtig hè. In m'n haast ben ik 'm vergeten.'

De zusjes knikten. 'Zullen we doen.'

'Enne, houd die Hoveling van je lijf, meidje,' zei Manke Tinus tegen Amélie. 'Dat heerschap deugt voor geen cent.'

'Weet ik, oom Tinus,' snifte ze. 'Maar hij heeft geen belangstelling meer voor mij nu het huis en alle bezittingen in rook zijn opgegaan. Het ging hem alleen om de rijkdom.'

De zeerover knikte. 'Ja, dat ken ik maar al te goed. Zo was ik zelf ook, lang geleden. Tot ik zo rijk was dat het me niets meer deed. En toen zag ik het zeegezicht...' Hij staarde dromerig voor zich uit. Opeens schrok hij weer wakker. 'Maar nu moeten jullie gaan, anders kom je hier nooit meer weg! Behouden vaart, achter-achter-achter-en-nog-wat-nicht-jes!'

'Behouden vaart, oom Tinus!'

Ze stapten in het schilderij en toen waren alleen Bertus en ik nog over. Manke Tinus keek bezorgd. 'Ik zou maar opschieten, maatjes. Straks gaat de tent dicht en dan zit je hier met ons opgescheept!'

'Ja,' zei mijn neef nerveus. 'Waar wacht je nou nog op, joh?'

'Ik zoek de rovers,' zei ik, terwijl ik de grond afspeurde. 'Ik heb ze hier ergens laten vallen toen we onze vingers in onze oren moesten stoppen vanwege de muziek. Oom Balthasar weet misschien hoe we ze weer uit het witte niets kunnen krijgen.'

'Schiet nou ohop!' drong Bertus aan.

Bijna gaf ik de hoop op dat ik het opgerolde schilderij nog zou vinden, toen ik er bijna op trapte. Ik graaide het van de grond en klemde het stevig onder mijn arm. 'Hebbes!'

Bertus greep me vast en trok me mee. 'Wegwezen!'

Manke Tinus stak zijn goede hand op. 'Tabee, luitjes!'

'Tabee, Manke Tinus!'

De dwerg knikte ons minzaam toe.

Bertus stapte als eerste het schilderij in. Ik volgde hem nog sneller dan een schaduw.

XXI

Boven water

We doken op in het uit de kluiten gewassen konijnenhol en stonden onder de stralende sterrenhemel.

In de tuin van mijn oom en tante.

'Het is gelukt!' riep Bertus. 'We zijn weer thuis!'

'Juich niet te vroeg,' zei ik. 'Wie weet hoeveel tijd er is verstreken... Misschien wonen je vader en moeder er allang niet meer. Misschien zitten ze wel in een bejaardenflat.'

Maar Bertus leek zich geen zorgen te maken. 'Hm, zo te zien is er niet veel veranderd.' Hij knikte naar een schriel boompje schuin voor ons. 'Da's nog net zo groot als eerst.'

We klommen het grasveld op. Een eindje verder zagen we de anderen. Ze stonden dicht bij elkaar als verdwaalde toeristen in een vreemd land. Oom Balthasar maakte zich van het groepje los en kwam naar ons toe.

'Zo, zijn jullie daar eindelijk!' sprak hij ongeduldig. 'Laten we dan nu meteen dat gat dichtgooien!'

Ik draaide me om en keek naar het hol. 'Maar... dat is het gat wat wij gegraven hebben!' riep ik uit.

'Toen we op zoek waren naar de schat!' vulde Bertus aan. 'En de aarde is nog vers.' Hij keek mij met grote ogen aan. 'Zebedeus... volgens mij zijn we maar heel even weg geweest!'

'Inderdaad,' zei oom Balthasar, alsof het hem niets verbaasde. 'En nu is het gat een gang naar het zeegezicht.'

'Dus als we weer terug zouden gaan, dan...' begon ik.

'... Kom je weer op het schip.' Oom Balthasar knikte. 'Daarom moet het nu gebeuren, zodat niemand er nog in kan. Of eruit.'

'De rovers! Ze zitten er nog in!'

Oom Balthasar keek mij verwonderd aan. 'In het zeegezicht?'

'Nee, in het witte niets.' Ik haalde het opgerolde schilderij onder mijn arm vandaan en liet het zien. 'Een valstrik van de dwerg. Het was een

straat, maar toen de rovers in het schilderij waren, loste alles in het niets op. Ze konden geen kant meer uit. Kunt u daar iets aan doen?'

'Hm...' Oom Balthasar keek er even naar. 'Ik heb nog wat bloed, zweet en tranen over. Waarschijnlijk bedenk ik wel wat.' Hij rolde het doek weer op en tuurde naar de sterren. 'Tijd om te gaan...'

'Tijd om te gaan?' zei Bertus. 'Blijft u dan niet hier?'

'Tsa! Met die hele optocht zeker. Je ouders zien me al aankomen!' Hij schudde het hoofd. 'Ik breng ze naar een rustige plek, waar ze kunnen wennen aan de nieuwe tijd. Honderd, tweehonderd jaar - dat is voor de meesten een hele sprong. Zelfs ik heb tijd nodig om hier weer te wennen.' Hij draaide zich half om. 'Nog bedankt voor jullie hulp.'

'Wacht!' riep ik. 'U vergeet het zeegezicht!'

Oom Balthasar maakte een afwerend gebaar. 'Dat staat hier goed. Ik draag mijn taak aan jullie over, ik word er te oud voor.' Op een plechtige toon vervolgde hij: 'Bij deze benoem ik jullie tot Waardige Wachters van het Zeegezicht. Jullie opdracht is niemand in het schilderij toe te laten en ervoor te zorgen dat er niets mee gebeurt.'

Mijn neef en ik glommen van trots.

Opeens betrok Bertus' gezicht. 'Maar als mijn moeder het schilderij nou niet wil hebben? Straks zet ze het bij het grofvuil!'

'Dan verberg je het op de zolder. Op een zolder komt nooit iemand, daar staan alleen maar dingen die geen mens meer nodig heeft. Ze vergeet vanzelf dat het zeegezicht bestaat. Zet het met de afbeelding naar de muur en gooi er desnoods een doek overheen, maar...' - hij zwaaide vermanend met zijn wijsvinger - 'let erop dat het altijd kaarsrecht staat!'

'Ja, oom Balthasar. Dat zullen we doen.'

'Dan ga ik nu. Het is de hoogste tijd. Doe de groeten aan Melchior. Zeg maar dat ik niet langer kon blijven. En gooi dat gat dicht!' Zonder nog om te kijken, wandelde hij naar het wachtende groepje. Amélie en Dorothée staken hun hand op en de majoor salueerde.

We keken de dwaze dansers na tot ze om de hoek van de straat verdwenen waren.

'Zouden we hem ooit nog terugzien?' vroeg Bertus, zonder zijn blik van de lege straat af te wenden. 'Of een van de anderen?'

'Kweenie.' Ik pakte de grote schep. 'Laten we dat gat maar dichtgooien. En dan naar bed. Ik ben bekaf!'

Bertus rekte zich uit en geeuwde. 'Anders ik wel!' Met het roze schepje begon hij de berg aarde af te schrapen.

'Wat doen jullie hierbuiten?!'

Het was de vader van Bertus. Zonder bril. Met kleine mollenoogjes tuurde hij onze kant op.

'Eh... wij gooien het gat dicht, oom!'

Bertus knikte. 'Ja, zodat het weer mooi zou zijn als je uit bed kwam, pa. Het was eigenlijk een verrassing.'

Oom Melchior woelde met een hand door zijn haren. 'Dat stel ik erg op prijs, jongens. Maar eh kunnen jullie niet beter gaan slapen? Het is al hartstikke laat en... Zeg, hebben jullie toevallig oom Balthasar gezien?'

'Oom Balthasar?'

'Ja. Ik was net op z'n kamer. Ik dacht dat ik geschreeuw hoorde, maar er was niemand. Het is er trouwens een enorme bende, daar zal Martha niet blij mee zijn... En hoe die zeemeeuw binnen is gekomen, mag Joost weten!'

'O ja,' zei ik, 'da's waar ook. U krijgt nog de groeten. Hij moest dringend weg.'

'Midden in de nacht?'

'Het was héél erg dringend.'

'Dat moet wel ja. En dat schilderij dan?'

'Dat mochten we houden,' zei Bertus.

'Hm, dat weet ik niet hoor.' Oom Melchior keek bedenkelijk. 'Het is een merkwaardig geval. Het is net alsof het leeft, ik durfde het niet aan te raken.'

En da's maar goed ook, dacht ik opgelucht.

'Alsjeblieft, pa?' vroeg Bertus smekend. 'We hebben oom Balthasar beloofd dat we er goed op zouden passen.'

'Vooruit dan. Als je moeder het maar niet te zien krijgt... Dan gooit ze het meteen weg.'

'Maak je geen zorgen, pa. We zetten het zo dadelijk op zolder, dan heeft geen mens er last van. Daar zullen we op letten.'

'We zullen er héél goed op letten,' zei ik.

Bertus wees naar het gat. 'Mogen we dit nog even afmaken?'

Zijn vader knikte en liep terug naar de keukendeur. 'Maar niet te lang doorgaan, hè. Anders krijg ik je moeder op m'n dak.'

'Nee, pa.'

We wilden net weer aan het werk gaan, toen oom Melchior zich omdraaide. 'Hebben jullie eigenlijk nog een schat gevonden?'

Bertus en ik keken elkaar aan.

'Ja, oom,' antwoordde ik. 'Een piratenschat.'

'Van Manke Tinus,' voegde Bertus eraan toe.

'Aha.' Oom was even stil. 'Nou, dan is dat gat tenminste nog ergens goed voor geweest.'

'Dat is het zeker,' zei ik met een grijns die alleen Bertus kon zien.

Oom Melchior ging de keuken in en wij werkten door tot de kuil weer helemaal gevuld was.

Terwijl we de aarde aanstampten, stak Bertus een vinger op. 'Luister!' zei hij.

Het kwam van ver weg en het klonk gedempt. Maar als je heel stil was en je adem inhield, kon je het horen.

Geruis, als van water dat tegen de rotsen sloeg.

Van Henk Hardeman verschenen de volgende boeken bij Uitgeverij Holland

Dag in dag uit zit prinses Kaatje in de Hele Hoge Toren. De prins die het lukt haar daaruit te halen, mag met haar trouwen. Zo gaat dat nu eenmaal in Ploenk. Maar Kaatje is het spuugzat en heeft heel andere plannen... Maar zij is niet de enige in Ploenk die plannetjes maakt. Wat voert de listige lakei Lodewijk in zijn schild? En de koningin, waar is die eigenlijk mee bezig? En dan verschijnt ook nog eens de goudeerlijke struikrover Joram...

Vanaf 8 jaar
€ 12,90

Op zijn sterfbed doet de ongetrouwde en stokoude hertog een schokkende onthulling: ooit had hij iets moois met Marietje-met-de-blauwe-ogen. En dat niet alleen, hij vertelt dat hij ook een zoon heeft! Die moet hem natuurlijk opvolgen. Maar er is een probleem: waar is die jongen eigenlijk? Wie hem vindt krijgt een flinke beloning. Dat brengt sommigen op een idee...

Vanaf 8 jaar
€ 13,50

Tobias en Opa Grijs wonen in een rijtjeshuis. Hoewel, rijtjeshuis? Het is meer een paleis! Compleet met echte torens en een ophaalbrug. Maar op een dag komt er een brief van de nieuwe huisbaas: ze moeten hun huis zo snel mogelijk verlaten omdat het gesloopt wordt. Tobias besluit uit te zoeken wie die huisbaas is en welk plan hij heeft. Zou hij nog op tijd zijn om hem tegen te houden?

Vanaf 8 jaar
€ 12,50

Over Henk Hardeman

Ik ben geboren in 1961 in Utrecht en ik heb geen broers of zussen. Ik ben getrouwd met Nicki, die ook jeugdboeken schrijft, en ik heb een dochter, Veerle en een zoon, Stije. Al vanaf heel jong hield ik ervan om verhalen te verzinnen. Ik heb er even over gedacht om striptekenaar te worden, maar het leek me eigenlijk nogal vermoeiend om steeds maar plaatjes te moeten tekenen. Dan maar schrijver, al kwam ik er algauw achter dat het nog best moeilijk is om een verhaal zo op papier te krijgen dat je het makkelijk kunt lezen. En tegelijk is dat ook het aardige van schrijven. Verhalen bedenken gaat me vrij makkelijk af, maar dan begint het eigenlijk pas. Als een verhaal je echter goed te pakken heeft, laat het je pas los als het klaar is. Al gaat dat beslist niet altijd vanzelf. Ook leuk is, dat een verhaal dikwijls een eigen leven gaat leiden: het gaat vaak een heel andere kant op dan je zelf van plan was. Zo kun je als schrijver zelf ook verrast worden door je boek. Mijn debuut, *Het zwarte vuur*, verscheen in 1998.

Ik houd van spannende verhalen met humor, domme schurken, malle koningen en eigenzinnige helden. Dat kunnen prinsessen zijn, maar ook scheepsjongens, studiehoofden of ouwe omaatjes. Van probleem-boeken krijg ik hoofdpijn, daar houd ik niet zo van en ik schrijf ze dus ook niet. Wil je meer weten? Kijk dan op www.uitgeverijholland.nl

Omslag en tekeningen: Saskia Halfmouw
Typografie omslag: Ingrid Joustra

© Uitgeversmaatschappij Holland - Haarlem, 2004

ISBN 90 251 0931 4
NUR 282/283

*Dit boek is gedrukt op milieuvriendelijk,
chloorvrij gebleekt en verouderingsbestendig papier.*